講談社文庫

〈増補版〉

教養としてのテクノロジー

AI、仮想通貨、ブロックチェーン

伊藤穰一

講談社

〈増補版〉教養としてのテクノロジー――AI、仮想通貨、ブロックチェーン

はじめに……12

第1章 「AI」は「労働」をどう変えるのか？……18

「規模こそすべて」のシリコンバレー
拡張を担保するインターネットの仕組み
「分散させたほうがレジリエンスは高い」
技術がすべてを解決する「シンギュラリティ教」
指数関数的成長のカーブ
あまりにも強い「科学信奉」
コンピュータがすべてを実現してきた
アルゴリズムが社会をよくするわけではない
AIが人間を代替する

〈働く〉とは何か？
換金できるもの、できないもの
GDPの測り方に問題がある
ユニバーサル・ベーシック・インカムの考え方
あなたの労働に「人生の意味」はあるか
新しい〈センシビリティ〉が必要だ
〈文庫版のためのアップデート〉

第2章 「仮想通貨」は「国家」をどう変えるのか？……42

1990年代から続く「仮想通貨」への関心
「暗号化」はインターネットの大きなテーマのひとつ
国家vs.サイファーパンク
「仮想通貨」で国家から独立する
「独立の夢」はバブルでついえた
「ビットコイン」はリバタリアンの理想
国家からのマネー逃避
新たな資金調達手法「ICO」とは何か？

投資家がＩＣＯに熱を上げる理由
インチキなＩＣＯがたくさんある
投資されたお金を返す義務はない
被害者が出る仕組みはやめよう
ＩＣＯの健全化を目指すシリコンバレー
インターネット・バブルの再来
リバタリアニズムの反動
仮想通貨をガバナンスするのは誰か？
利害関係がない唯一の組織
学術機関だからこそ貢献できること
〈文庫版のためのアップデート〉

第3章　「ブロックチェーン」は「資本主義」をどう変えるのか？……69

「ブロックチェーン」とは何か？
脱中心に向かう金融と経済
通貨はもっと多様であるべき
「仮想通貨」と「自然通貨」

テクノロジーで自然資本を管理する
マグロの漁獲も「自然資本」
オイル自体が通貨になる可能性も
ハンバーガー通貨におけるふたつの課題
価値はコミュニティの人と人の間にある
お金で解決できるゲームはむなしい
仮想空間にも価値が生まれる
多様なコミュニティは成長する
４つのプレイヤー分類
仮想空間でも必要なガバナンス
本当にお金はたいせつなのか？
お金で解決できない問題が多い
ローマ教皇のお守り
安易にお金に換えてはいけない
人間関係はお金に換えないほうがいい
〈文庫版のためのアップデート〉

第4章　「人間」はどう変わるか？……97
そもそも人間とは何か？
「なぜ？」に答えるむずかしさ
テクノロジーにより「問い」が遍在する
「そもそも論」が必要
「トランスヒューマニズム」の思想
都市はどう変わるか？
歩ける距離をたいせつにする「ペデストリアン・シティ」
「モビリティ」としての自動運転車
自動運転は「倫理」が問題だ
犠牲者に優先順位をつけられるか？
テスラの自動運転車
コンピュータの過ちは許されない
アンフェアなAI
都市のサステナビリティ
「ローカリティ」には学ぶべきことがある
自然や文化は自分たちで守る

地域から〈センシビリティ〉を学ぶ
〈文庫版のためのアップデート〉

第5章　日本の「教育」をどう変えていくのか？……123

ニューロダイバーシティとの出会い
測れるものはつまらない
なぜダイバーシティが必要なのか
標準化によって生まれる不幸もある
自閉症の人がいなければ人類はいまも洞窟暮らし
従来の「アメとムチ」ではないセラピーが
喜びを圧迫すると発達も圧迫される
AIにできることはAIにやらせたほうがいい
学校の弱点はコーチと審判が同じであること
親にも意識改革が必要
しまじろうとピカピカの1年生の谷
メタバースは自閉症の人と相性がよい
web3で標準化できない人を掬い上げる

匿名でも経歴が証明できる

第6章　「日本人」はどう変わるべきか？……144

お金持ちだけが価値が高いのではない
「大きいことはいいことだ」
日本に星付きレストランが多いのはなぜか？
アメリカン・ドリームへの憧れ
「こだわり」を活かせない国民性
日本人の壊れたロジック
プロセスに時間をかけすぎる日本人
イノベーションよりもプロセスが大事
社会のシステムにフレキシビリティがない
「空気」がムーブメントをつくる
インターネットという「場」
怒りのパワーをポジティブに変える
身体拡張をめぐる日本とアメリカの違い
八百万の神と唯一神

AIロボットの倫理
〈文庫版のためのアップデート〉

第7章　「日本」はムーブメントを起こせるのか？……168

オリンピックが起こしてきたムーブメント
パラリンピックのイメージを変える
日本の文化は誰がつくるのか
アフターオリンピックの課題
「ニュートーキョー」は過激さから生まれる
混ぜ合わせる「候補」と「時間軸」
日本が忘れている「よさ」を思い出す
パラダイムシフトは文化から生まれる
根源的な部分を考え直す時期
抗議もファッションなら楽しい
イギリスのパンクに学べること
ハッピーな運動が必要
「セーフキャスト」は意義あるムーブメントだった

ムーブメントを起こそう
〈文庫版のためのアップデート〉
あとがき……191
文庫版へのあとがき……194

はじめに

「テクノロジー」は現代社会の基盤です。スマートフォンが登場してから15年あまりが経《た》ち、僕たちの生活は大きく変わりました。その間も、次々と新しいテクノロジーが登場しています。ＡＩ、仮想通貨、ブロックチェーン……理解するのが難しそうな言葉に「まだ自分たちには関係ない」と思う人が多いかもしれません。

しかし、テクノロジーはもはや「一部の人たちのもの」ではありません。現代社会を生きる人々が、共通して理解しておくべきものになりつつあります。なぜなら、テクノロジーは、現代に生きる私たちひとりひとりに影響を与え、これまでとは違う生き方を迫ってくるからです。

もちろん、「多くの人々が技術的な仕組みを理解すべきだ」というわけではありません。むしろ、その背景にある考え方、すなわち「フィロソフィ（哲学）」として理解することが不可欠になってきました。これまで「教養」と呼ばれてきたレベルで、テクノロジーについて本質的な理解が必要となったのです。「テクノロジーが変えつつある世界」を、きちんとした視点を持って捉えることができなければ、いまの経済や社会を正確に語ることができません。

僕がこの本を書こうと思ったのは、２０１７年の夏に東京を訪れたときに、食事会をしたことがきっかけになっています。多様なバックグラウンドを持つ人たちと、美味《おい》しいお寿司をいただきながら、最新のバイオテクノロジーや当時のトランプ政権についてなどいろいろな話をしました。

そこで、僕が少し関わっていた「２０２０年東京オリンピック」の話をしたところ、食事会のメンバーから開会式の演出のアイデアや大会が日本経済に及ぼす影響、日本のカルチャーにとっての意味など、さまざまな意見が出てきました。

やはり「日本人は、東京でオリンピックが再び開催されることを、特別なことと捉えている」とそのとき僕は確信しました。これまでの活動では、政府や官僚の人たちと話をすることが多くありました。でも、それだけではダメだ、もっと広く日本に生きる人々とも話をしなければいけない、と思い至ったのです。オリンピックをひとつのきっかけとして、いまここで、私たちを取り巻く最新の状況を整理し、付け焼き刃ではない「そもそも論」と呼ぶべき、本質的な議論を始めるタイミングだと思ったのです。そしてこの本が誕生しました。

ご存じのように、コロナ禍によって、東京オリンピックの開催は1年延期になり、2021年に無観客で実施されました。開催の決定から実際の開催までの長い8年間が終わりました。正直、終わってみると、僕が思い描いていたような変革のきっかけには残念ながらなりませんでした。選手たちの活躍により、大会そのものの感動はありましたが、日本はまたしても、変革するチャンスを失ったのです。

ありがたいことに、この本を文庫にしないか、というお話をいただきました。僕も生活の拠点を日本に移しました。改めてこの本を読み返すと、僕が提示した話はまだ有効なのではないか？　文庫にすることで、再びムーブメントを活性化させることができるのではないかと考えたのです。

とはいえ、テクノロジーの話はどんどん変化していきますので、各章末には新書版からの変化について、最小限記述することにしました。

最後に、本書の構成を簡単にご説明します。本書は、「経済」「社会」「日本」の大きな3つのパートに分かれています。

第1章から第3章までは、「経済の未来」について述べます。

第1章は、「労働」についてです。AI（人工知能）やロボットの登場により、私たちは労働とは何か、お金を得るとは何か、なぜ働くのかという、「そもそも論」を考えなければならない時代に入りました。テクノロジーが変えようとしている労働の価値観について、「シンギュラリティ」をはじめ、その背景にあるシリコンバレーの考え方を解説しました。

第2章は、「国家」についてです。いまやビットコインをはじめとする「仮想通貨」は、ドルや円など国家通貨が長い歴史で積み上げてきた経済圏に大きな影響を与える存在になりました。そもそも「仮想通貨」は「暗号化」に基づく技術であり、その背景には国家による統制から逃れようとするリバタリアン的な発想がありました。その論理を説明し、「ICO（イニシャル・コイン・オファリング）」など新たな資金調達方法についても解説します。

第3章は、「資本主義」についてです。資本主義的な価値観の「終焉《しゅうえん》」には、すでにさまざまな議論や指摘がなされており、世界でも共通認識ができつつあります。実は、いままでの価値観をくつがえすものとして、仮想通貨の背景技術である「ブロックチェーン」を位置づけることができます。ブロックチェーンがもたらす変化を、「仮想通貨」や「自然通貨」といった例から説明します。

第4章と第5章は、「社会の未来」について述べます。

第4章は、「人間」についてです。新たなテクノロジーの登場により、その境界線が揺れています。「人間拡張」の現在について概観し、新たに登場した「トランスヒューマニズム」の思想など、人間とは何かを考えるための視点を共有します。また後半では、都市の在り方について、また自動運転が私たちに何をもたらすのかを考えます。

第5章は、「教育」についてです。この文庫版のために、新たに書き下ろしました。僕が日本で暮らし、自分の子供の将来を考えるにあたって、さまざまに考え、調べたことも追加しています。

第6章と第7章は、「日本の未来」について述べます。

第6章は、「日本人」についてです。僕はアメリカを拠点とする生活が長い分、外側から見ると日本がどんな国か、日本人がどういった特性を持っているかについて、人と違った見方ができるようになりました。そういった外側からの視点で見たとき、日本人はどう変わるべきか、思うところがたくさんあります。それらについて、余すところなく述べたいと思います。

第7章は、「日本」についてです。この本の新書版が出版されたころ、２０２０年に東京オリンピックをひかえてどんな議論がなされていたのか。世界に「日本」という国をアピールできたはずの絶好の機会に、僕たちは何ができたのかについて語っています。

インターネットが一般に普及して、すでに30年近くが経ちました。「情報革命」と呼ばれた時代はすでに終わり、テクノロジーは僕たちの経済や社会を根底から変えようとしています。テクノロジーが経済や社会へ与える影響を知るものとして、またその変化と真剣に向き合うきっかけになる一冊として、本書が皆さんにとって価値のあるものになればと願っています。

伊藤《いとう》穰一《じょういち》

第1章 「AI」は「労働」をどう変えるのか?

GAMAMに代表されるビッグテックの市場拡大、寡占傾向には、ヨーロッパをはじめとして「ノー」を突きつける声が大きくなり、実際に歯止めをかける動きもある。シリコンバレーのテクノロジー企業は、それでも進化をやめず、人工知能(AI)もその精度をさらに増している。対する伊藤穰一の見解は?

「規模こそすべて」のシリコンバレー

長年、僕は投資家として、アメリカのシリコンバレーのIT企業をたくさん見てきました。シリコンバレーには世界各地から優秀な人材が集まり、やる気のある若い人たちがたくさんいます。また、彼らをサポートする起業経験を持ったアドバイザーやメンター（指導者）もいます。さらに新興企業にお金を投下するエンジェル投資家やベンチャーキャピタル（VC）が存在するなど、すばらしいエコシステム（生態系）があります。こうした恵まれた環境のなかで、シリコンバレーからはグーグルやフェイスブック（現メタ）といった世界に名だたるIT企業が生まれてきました。

シリコンバレーで新たに生み出されるテクノロジーにより、規模を拡大するIT企業が目指すゴールのひとつは、新規に株式を証券取引所に上場する「IPO（Initial Public Offering）」です。シリコンバレーのエコシステムでは、IPOにより株の流動性が高まり、さまざまな金融施策が打てるようになることで企業価値が上がり、その企業へ投資した投資家やベンチャーキャピタルがメリットを得ることができるのです。また、上場後は「株価を高めてほしい」という株主の要請もあり、売り上げの拡大にひた走ります。とにかく「スケール・イズ・エブリシング（規模こそすべて）」なのです。

一方で、いまや国家と並ぶぐらいに大きな影響力を持つようになった彼ら巨大IT企業は、社会においてさまざまな逆風にさらされるようになりました。たとえば、SNSなどネット上で拡散される「フェイクニュース（虚偽のニュース）」です。2016年のアメリカ大統領選において、民主党候補だったヒラリー・クリントン前国務長官を標的にしたフェイクニュースがフェイスブックなどのＳＮＳで拡散され、ドナルド・トランプの勝利に大きな影響を与えたことがアメリカでも社会問題となりました。

拡張を担保するインターネットの仕組み

どんな会社でも、最初はスタートアップ（新規企業）です。テクノロジー企業ですから、その成長のスピードは一般的な企業よりも速い。ゆえに急速に規模が拡大します。しかし、規模が大きくなったときに、あまりに影響力を持ってしまったゆえに、自分たちではどうしたらいいかわからなくなっているＩＴ企業もあるように僕には見えます。

技術的な説明は省きますが、そもそもインターネットは、コンピュータ同士が通信をする際の手順を定めた「プロトコル」の層（レイヤー）において、拡張の可能性が担保されています。通信を行うコンピュータの中継点（ノード）は分散的に存在しており、それぞれが独立して自律的に考え、ある一定のルールに従って動く仕組みです。多くのＩＴ企業はこうしたインターネットの仕組みのうえに、異なるレイヤーでサービスを提供するため自社のサービスに集中することができ、規模を拡大することができるのです。

サービスの規模が大きくなれば、それだけビジネスとしての効率は上がります。それだけ利益が上がりますので、企業にとってはいいことでしょう。しかしながら、それが独占状態になってしまうと、いままで競争することでサービスの改善が促されていたものが起こりにくくなり、マーケットにもユーザーにもよくないものになりがちです。

たとえば、初期のインターネットではウェブブラウザをめぐる争いがありました。ネットスケープ・ナビゲーターが道を切り開き、マイクロソフトのインターネット・エクスプローラーが登場し、「ブラウザ戦争」が起こりました。さらにオープンソースのモジラ・ファイアーフォックスが加わり、お互いに切磋《せっさ》琢磨《たくま》し合うなかで機能が向上してきました。

インターネットが成熟期に入った現在、検索エンジンはグーグル、SNSはフェイスブックといったように、特定のIT企業の規模が大きくなりすぎたことにより競争が起こりにくくなっています。イノベーションが失われると、ともすれば権威主義に陥ってしまうことになりかねません。

「分散させたほうがレジリエンスは高い」

最近になり、僕は「スケール・イズ・エブリシング」について、疑問を抱くようになりました。この点については、世界最大級のビジネスＳＮＳ「LinkedIn《リンクトイン》」の共同創業者であり、長年の友人であるリード・ホフマンと議論したことがあります。企業や組織にとって、「スケール（規模の拡大）」がどれくらい重要なのか。２人で導き出した結論は、ひとつに集中させるのではなく、たくさんの組織やサービスに分散させたほうが「レジリエンス（回復力、しなやかさ）」は高いはずだ、というものです。

何ごとも「適当なサイズがいい」のではないでしょうか。たとえば、モノが大きすぎたり、モノを持ちすぎたりすると、悪い影響があるということを体験的にご存じの方も多いでしょう。体も同じです。当たり前ですが、太りすぎは不健康です。「スケール・イズ・エブリシング」という考え方は、どこかでほころびが見え始めているように思います。

技術がすべてを解決する「シンギュラリティ教」

シリコンバレーは、なぜ「スケール・イズ・エブリシング」という考えになりやすいのでしょうか。もちろん前提として、ＩＰＯに代表されるような市場経済に基づく「資本主義」の仕組みがあるのは間違いありません。

一方で、シリコンバレーには「シンギュラリティ（Singularity）」という独特な考え方が浸透しています。シンギュラリティは、日本語では「技術的特異点」と訳されますが、アメリカの未来学者であるレイ・カーツワイルが提唱した概念で、ＡＩが人類の知能を超える転換点を指します。

ＡＩをめぐっては解説本もたくさん出版されているので詳細に述べるところではありませんが、２０１０年代の「ディープラーニング（深層学習）」の飛躍的な発達やビッグデータの集積により、ＡＩブームが起こりました。そのなかで、シンギュラリティという考え方は注目を集めるようになりました。

シリコンバレーでは、このシンギュラリティに傾倒する人が後を絶ちません。「コンピュータが人間の知能を超え無限に賢くなったとき、自分たちはどうすべきか？」

について、真剣に考えている人たちがいるのです。シンギュラリティによって、人類の抱えている問題のすべてが解決すると信じている人たちは、ある意味で「シンギュラリティ教」の信者と呼んでもいいかもしれません。彼らにとっては「テクノロジー・イズ・エブリシング（技術こそすべて）」なのです。

指数関数的成長のカーブ

テクノロジーの進展は、「S字カーブ理論」で説明できることが多くあります。S字カーブは、費やした時間や資源と、製品の技術や性能の成長の関係を表した曲線です【図表1－1：Sカーブ】。初期の技術開発はゆっくりと向上し、次第に性能が上がるスピードが速くなり、カーブが大きくなります。さらに進んで技術の成熟期になると、スピードが減少して再びカーブはゆるやかになります。

このように、一般的なテクノロジーの進展はこのS字カーブで説明されるのですが、シンギュラリティ教の人たちは一味違います。彼らはこのS字カーブが何層にも重なることで、「エクスポネンシャル（指数関数的）」に成長がカーブすると主張しているのです【図表1－2：エクスポネンシャル（指数関数的）カーブ】。

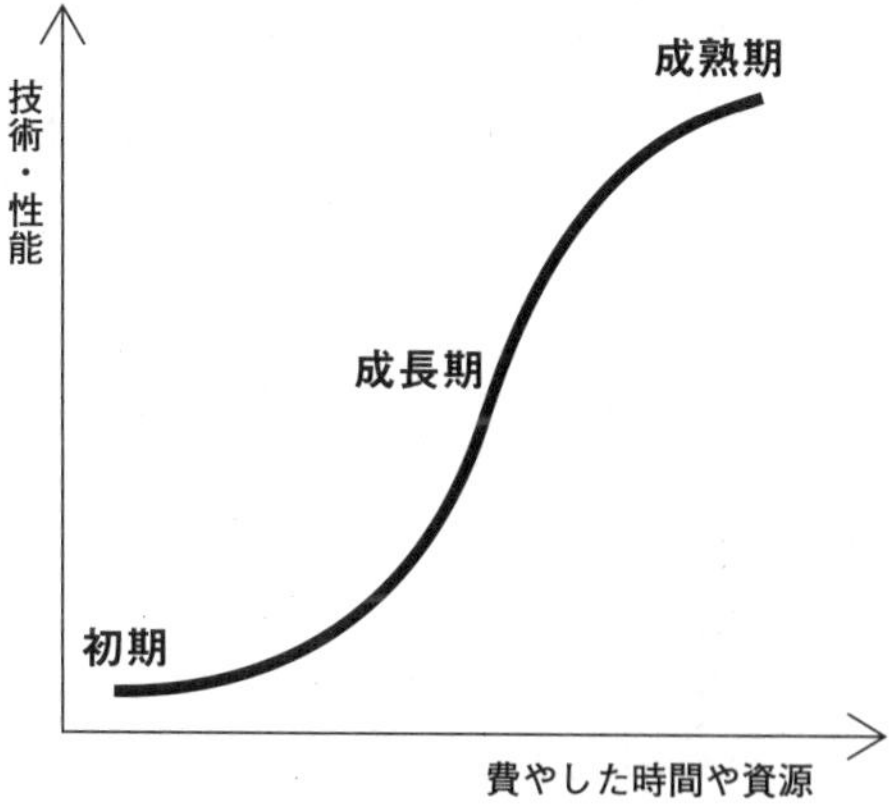

図表1－1：Ｓカーブ

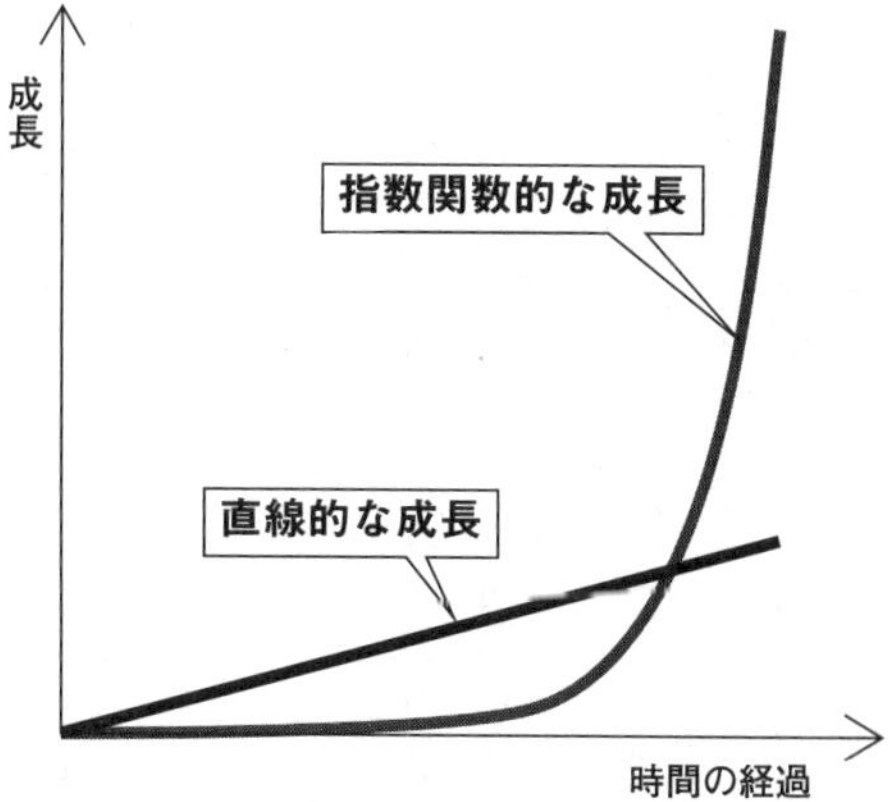

図表1－2：エクスポネンシャル（指数関数的）カーブ

コンピュータの性能が18ヵ月ごとに2倍になるとされる、有名な「ムーアの法則」とも相まって、シンギュラリティ教の人たちは、２０４５年にはＡＩが何でも解決してくれるようになり、自分たちも不老不死に近づくと信じているのです（本来の神様を信じている人もいると思いますが……）。

あまりにも強い「科学信奉」

シンギュラリティについては、信じる人と信じない人に大きく分かれるという意味においては、「どのような歴史を信じるか」が人それぞれであることに近いのかもしれません。

たとえば、歴史には「遺伝子」や「進化論」を理解したつもりになってしまった時期がありました。１９２０年代、アメリカでも優生学の誤った考え方を基に、精神障がい者や知的障がい者、性犯罪者に不妊手術を受けさせ、子供をつくらせないという州法がたくさんの州で成立しました。また、その後のナチスドイツが優生学に基づいて、ユダヤ人の絶滅などを企《たくら》んだことは歴史上の事実です。ところが、研究が進み時代が変わると、遺伝子はそんなにシンプルに理解できるものではないということがわかったりするわけです。

さらに、シンギュラリティは、技術開発により指数関数的な成長を遂げると信じる思想であり、「科学信奉」に近いものがあります。「科学的に証明されている」というのは、一見するとまっとうに思えるものですが、アカデミック分野においてあまりにも強い「仮説」が認められてしまうと、それを信じ込んでしまい、社会で単純に応用してしまうことが往々にしてあります。

わかりやすいのが、心理学者のB・F・スキナーの「強化理論」という有名な学説です。この強化理論は、いわゆる「アメとムチ」による条件付けで、学習効果が上がることを証明するものでした。ところが最近では、学習を効果的に行うためにはクリエイティブシンキングやパッションが重要だという意見が優勢になっています。「アメとムチ」のようにシンプル化したメソッドはダメだというのがわかってきたのです。

それにもかかわらず、いまだに学校教育では「アメとムチ」の考え方が用いられています。先生が教えてテストをして、生徒の成績をランキングすることで学習を促すような手法は、当たり前のようにいまも存在しています。「科学的に証明されている」というフレーズは、あまりにも強く信じられてしまいやすいものなのです。

コンピュータがすべてを実現してきた

ＡＩが人間の知能を超え、コンピュータがあらゆる問題を解決してくれるはずだ。そうしたシンギュラリティへの期待は、信じる人と信じない人に大きく分かれるものであり、また科学信奉に近いものです。

ＩＴ革命以後、情報技術の発展は目覚ましく、たしかにあらゆることができるようになったと人間が錯覚するのは無理もありません。

インターネットの登場以前に、音楽の世界でカセットテープやＣＤといったメディアにかわって、ネット配信される日が来ることを一般的に想像できたでしょうか。スマートフォンの登場以前に、かんたんな操作ひとつで車が自分を迎えにきて、行きたい場所へ連れていってくれる「ウーバー（Uber）」のようなサービスができると考えられたでしょうか。世界で20億人が使うフェイスブックのような巨大なＳＮＳが登場すると誰が信じていたでしょうか。すべては技術開発の進展により、テクノロジーが実現してきた「現実」です。

ＡＩの技術開発においても、グーグル傘下のディープマインド社が開発した囲碁ソフト「アルファ碁」が人間の世界最強棋士に完勝して世界に衝撃を与えました。さらには自動で作曲をするＡＩが登場するなど、人間にしかできないといわれてきたクリエイティビティ（創造力）の分野においても目覚ましい実績をあげています。

どんなに「コンピュータにそんなことができるわけがない」と批判されても、日々コンピュータに向き合い、研究と開発に没頭してきたシリコンバレーの人たちにしてみれば、「すべて実現してきたじゃないか」というわけです。彼らが「できないと言われることは、すべて実現できるはずだ」と信じるのは気持ちとしてわかりますし、シンギュラリティへの傾倒も理解できる部分があります。

しかし、ムーアの法則に基づくコンピュータの進化のスピードは、徐々に遅くなってきました。コンピュータを支えるシリコンチップも、ほとんど原子と呼べるほど小さなサイズになってきており、根本的に構造を変えなければこれ以上の劇的な進化を望めません。いまのところ順調に技術開発が進んでいるように見えるＡＩやディープラーニングも、スピードが鈍る日が来ないとはいえません。

技術開発により性能がこのままエクスポネンシャルな成長を遂げるのか、それともＳ字カーブのように成熟期が来るのか。私たちはテクノロジーの端境期にいるのです。

アルゴリズムが社会をよくするわけではない

テクノロジーへの安易な期待は、先ほどの「アメとムチ」に似た、社会の過剰なシンプル化につながります。つまり、「きっとテクノロジーがすべてを解決するはずだ」という発想になりやすく、シリコンバレーの人たちは、自分の目の前にいまある政治や教育など社会の課題に対して、真剣に向き合う機会が少ないように思えます。

社会の問題に対して、あまり深く考えず「アルゴリズムさえよくなれば、コンピュータが全部やってくれるだろう」というのは、とても危険な考えではないかと感じます。なぜなら、こうしたシンギュラリティ信仰に基づく「テクノロジー・イズ・エブリシング」の考え方が、冒頭であげたような資本主義的な「スケール・イズ・エブリシング」の考え方につながり、本来は社会をよくするためにある「情報技術の発展」や「規模の拡大」が自己目的化して、さまざまな場所で軋轢《あつれき》や弊害を生み出しているように思えるからです。

ＡＩが人間を代替する

これまでの時代では、企業という単位で富や資源を分配するために、「経済学」は機能していました。規模の拡大も、ビジネスを効率化するうえでは役立ちます。しかし、いまの社会にとって何が重要かは、経済学の観点だけでは測れません。

たとえば、ＩＴ企業が大きくなるなかで生まれたＡＩという科学技術により、人間のさまざまな仕事を奪われるのではないか、という議論が盛んになされています。産業革命以降、工場における人間の労働を機械やロボットが代替したように、オフィスで働く人間の仕事をＡＩが代替するのではないか、という話です。

ＡＩの技術はあらゆるサービスのインフラとして、すでに実用化の域に達しつつあります。ディープラーニングによる音声認識機能の飛躍的な向上により、皆さんがよく使うグーグルの動画サービス「ユーチューブ」は、毎日10億本のビデオに字幕を付けています。精度こそ発展途上ではありますが、英語のニュースもワンクリックで日本語に翻訳することができるようになり、言語の壁が壊れつつあります。当然ながら、耳で聞いた言葉を書き起こして字幕を付けるような人間の仕事は、ＡＩに代替されたといえるでしょう。企業としては「効率化できた」というわけです。

しかし、人間の労働は経済効率だけで語ることはできません。これを知るには、まず「労働＝〈働く〉」とはどういうものなのか、定義することから始めなければいけません。

〈働く〉とは何か？

〈働く〉とは、お金をもらうために何かをするということなのでしょうか？　たとえば、「子育て」は誰からも報酬をもらっていませんから、〈働く〉ではないと考えるのが一般的です。あるいは、庭の畑で自家栽培して食べることは〈働く〉なのでしょうか？　給料の出ない自給自足は〈働く〉と呼んでいいものか、線引きがあいまいです。僕がかつて所属したＭＩＴメディアラボは、企業や世界各国の政府系機関などがスポンサーとしてお金を供出して、学生はそこから給付金をもらって勉強しています。僕から見れば、学生は働いていると思いますし、彼らも〈働く〉という意識を持っているのだと思います。はたして彼らは勉強しているのでしょうか。それとも働いているのでしょうか？

このように、少し考えるだけでも〈働く〉という定義は難しいものです。経済効率だけでは測れない職業もたくさんあります。たとえば政治家は、一義的には〈働く〉でしょう。しかし、皆さんもご存じだと思いますが、英語では「ワーク」ではなく「サービス」という言葉を使います。軍人も「サービス」です。彼らは給料としてのお金はもらいますが、一生懸命働いたほうがお金をもらえるという意味の「ワーク」ではありません。本来、政治家も軍人も「お金のために〈働く〉ものではない」と考えられているからです。

換金できるもの、できないもの

〈働く〉ことがイコールお金ではないように、世の中にはお金ではないが価値のあるものや、お金ではけっして買えないものも存在します。

お金ではないが価値のあるものとして、「アテンション・エコノミー（関心経済）」という概念があります。この言葉は、１９９７年にアメリカの社会学者であるマイケル・ゴールドハーバーが提唱したものです。情報過多の社会では、人々の「アテンション（注目や関心）」が情報量に対して希少になることで価値が生まれるというものです。トラフィックが多いウェブサイトは、いつでもサイトに広告を入れることでお金に換金できます。SNSでフォロワーの多いインフルエンサーも同じです。アテンションがお金ではないひとつの価値の蓄積として機能しているのです。

一方で、お金ではけっして買えないものがあります。身近なところでいえば、大学の「学位」です。学位はアテンションのようにお金に換えることはできませんが、学術の世界では価値があります。そのため、学者はアカデミズムでの評判や地位を上げるため一生懸命に〈働く〉のです。

お金のない学者もいれば、またお坊さんや牧師さんもお金のために〈働く〉とはいえないでしょう。作家のような文化人も同じです。結果的にベストセラー作家になったとしても、最初からお金のために〈働く〉作家が多いとは思えません。

GDPの測り方に問題がある

AIが人間の仕事を奪ったとしても、人間が〈働く〉ことがなくなるというわけではありません。僕もよく人に「AIに人間の仕事が奪われたら、どうすればいいでしょうか」と聞かれますが、それは大きな誤りです。人間はお金のためだけに〈働く〉わけではないからです。

こうした勘違いが生まれやすい背景には、人間が〈働く〉ことをすべてお金という価値に還元して、たとえばGDPのように、経済の指標として国家の運営に役立てようという発想があるように思います。産業革命以降の経済発展には、とても役立ってきたと思いますが、情報技術などあらゆるテクノロジーが社会を抜本的に変えつつある現在、どこまでそうした指標が重要かについては議論が必要でしょう。

さもなければお金に換算できないボランティアや遊び、家事や子育てといった活動が軽視されやすい社会になってしまいます。ノーベル経済学賞も受賞しているジョセフ・E・スティグリッツも提唱しているように、いまほど経済効率や生産性だけではないGDPの測り方が必要とされているタイミングはありません。

ユニバーサル・ベーシック・インカムの考え方

テクノロジーが社会をドラスティックに変えつつある現状をふまえて、大きな動きとして話題になっているのが「ユニバーサル・ベーシック・インカム（UBI）」という仕組みです。

UBIはすべての国民に政府が生活費として一定額を支給する制度です。現行の生活保護や失業保険などのセーフティネットに替わるものとして一本化することで支給のコストを抑制し、また貧困対策にも効果を発揮するものとして期待されています。また有意義な仕事を得るための教育やトレーニングを受け、よりいい仕事に従事しようというマインドが生まれ、ひいては国の経済が活性化するという考え方に基づいているものです。

2017年からアメリカのサンフランシスコでも実験が始まっており、4つのグループに分類された各家庭は毎月1000～2000ドルの支給を受けています。またフィンランドでも失業者2000人に対して支給を始めるなど、試験的な運用を始める動きが世界へ広まっています。

こうした動きはある意味で、経済学者トマ・ピケティが著書『21世紀の資本』で指摘したような貧困と格差の問題に対する処方箋として期待されているものです。お金持ちがどんどんお金持ちになっていく社会を是正するため、資産の分配をフェアに行うことにつながります。

あなたの労働に「人生の意味」はあるか

読者の皆さんも企業に勤めている人が多いでしょう。働いているときには仲間もいますし、人生の存在意義も見いだせるものです。ＵＢＩのお金をもらえたとしても、会社には皆が行くのではないでしょうか。何もせずにお給料がもらえるとしたら、人間は何をするのだろうと、僕も友だちと議論したことがあります。もちろん、カウチでくつろいでポテトチップをかじりながらテレビを見て過ごすような自堕落なライフスタイル、いわゆるカウチポテトになって、何もしない人が出てくるかもしれません。仕事に何の意義も見いだせず労働に従事している人は、すぐにでも〈働く〉ことをやめたいかもしれません。でも、皆が〈働く〉ことをやめることになるとは思えません。お金のため、生活のためだけに〈働く〉ことが、本来の人間のあるべき姿だとは思えないからです。

もともとお金のために〈働く〉わけではない、アカデミック分野で研究を続ける僕たちのような人間はこのまま働き続けるでしょう。メディアラボの研究者に「明日から来なくていい」と言っても、彼らはまた次の〈働く〉場所を探すと思います。

ＵＢＩはひとつの考え方ですが、〈働く〉ことの意味を大きく変えるような動きはこれからも加速していくでしょう。そうすれば、お金のような経済的な価値のためだけに〈働く〉ことに疑問を持つ人はこれからもっと増えることになります。つまり、お金のためだけに〈働く〉のではない。「ミーニング・オブ・ライフ（人生の意味）」が重要になってくるのです。

新しい〈センシビリティ〉が必要だ

以前、通信教育サービスを提供する「Ｚ会」が主催するイベントで、日本の中学生と対話する機会がありました。そのときのことです。

僕が環境問題の話をしようと呼びかけたら、ひとりの男子から「人間を含めた環境の話ですか、それとも人間ナシの話ですか？」と、返ってきました。「それはすごくいい質問だね」と言って、「我々は人間だから人間がいる前提で考えよう」と答えたら「わかりました」と前提が決まったところで、女子中学生から今度はこんな質問がきました。「でも、人生の意味って何ですか？　それを先に考えなければいけないのではないでしょうか？」と言うのです。

いまの中学生がこうした思考を持っていることを、僕はすごくうれしく、また頼もしく思いました。中学生のほうが、よほど僕たち大人よりも「ミーニング・オブ・ライフ」について柔軟な発想を持っているのかもしれません。

生活のためのお金を稼ぐため、経済効率のためという、いままで社会を動かしていたようなロジック（論理）は自己目的化しやすいものです。AIは課題を与えれば解決に向かって動き出すものではありますが、「ミーニング・オブ・ライフ」を与えてくれるものではありません。「生きる意味って何だろう？」と考えられるのが人間です。

戦後の日本は、「とにかく経済を立て直して生産性を上げるために突き進むんだ」という目的が明確で、誰にとってもわかりやすい「ミーニング・オブ・ライフ」が日本社会全体として与えられていたのです。その意味で、いまの子供たちのほうが、よっぽど何のために生きているのかを真剣に考えているのではないかと感じました。「経済的価値を重視して生きることが幸せである」という従来型の資本主義に対して、「自分の生き方の価値を高めるためにどう働けばいいのか」という、新しい〈センシビリティ（Sensibility）〉を考えるには、とてもおもしろい時期だと思います。

〈文庫版のためのアップデート〉

２０１８年に本書が刊行された後に、新型コロナウイルス（COVID-19）の感染拡大により数多くの犠牲者を出し、世界中を大混乱させせました。その影響を受け、世界各国でＵＢＩへの関心が高まりました。日本においても、２０２０年にコロナ禍の緊急経済対策として、国民全員に一律10万円の特別定額給付金が支給されましたが、これもある意味ではＵＢＩの一種といえるかと思います。

ＵＢＩは欧州をはじめとして、アメリカでも盛んに議論が行われていますが、いちばんの問題点は財源確保です。それに関しては、マイクロソフトの創業者のビル・ゲイツがある雑誌のインタビューで、「現在は、たとえば工場で年収５万ドルの仕事をしている人には、その収入に応じた所得税が課されている」「それと同じように、その人に代わってロボットが同じ仕事量をこなすようになったら、人の場合と同じレベルで税金を課すというやり方が考えられる」と答えています。

ＡＩの急速な発達により、人工知能が人間の職を奪う可能性が大きく報道されるなど、テクノロジーによって収入の道を断たれる人が増えることが予想されるようになっています。

さらに、2022年11月に生成AIと呼ばれる新しいAIが登場しました。マイクロソフトが10億ドルもの多額の出資をしているオープンAI社からリリースされたChatGPTです。2023年1月にはユーザーが1億人を超え、iPhoneの登場、あるいはインターネット黎明期《れいめいき》のネットスケープの誕生と同等のインパクトだ、など、大きな話題になっています。どう活用するのが最適なのか、生成AIの新しい可能性に期待が高まる一方で、一定の規制を求める声などが大きくなっているのも事実です。それでも、グーグルやアマゾンも対抗手段として新たなAIを投入するなど、人工知能をめぐる競争は新しいステージに入ってきています。

一方で、ビッグテックに対する課税の動きも大きくなっています。

前記の企業に対して一定の課税を行う、いわゆるグローバルタックス（デジタル課税）が導入されようとしています。これは、当事国に支店や工場を持たない外国企業に対して課税ができないという、これまでの国際課税の原則を見直して、「市場国に課税権を認める」制度です。OECD（経済協力開発機構）加盟国を含む136の国と地域の最終合意により、2024年4月1日以後の会計年度から適用されることになりました。

第2章　「仮想通貨」は「国家」をどう変えるのか？

「ビットコイン」に代表される、「仮想通貨」は多くの人が知るところとなった。株式投資よりも値動きの激しい〈投機〉としての側面はあるものの、ＩＰＯ（新規株式公開）に代わる手段としてＩＣＯ（イニシャル・コイン・オファリング）など仮想通貨を用いた資金調達が浸透、さらに新しい手法も生まれている。１９９０年代から仮想通貨についてみずから取り組んできた伊藤穰一の現在の見立ては。

１９９０年代から続く「仮想通貨」への関心

「仮想通貨」は、日本でも２０１７年４月に法律が変わり「仮想通貨交換業」が登場すると、一気に知名度が上がりました。米国を含め、世界的に見ても最もホットな話題のひとつです。象徴的な存在である「ビットコイン」以外にも、さまざまな種類の仮想通貨が登場しました。

僕と仮想通貨との関わりは、すでに20年以上になります。1995年にさかのぼりますが、僕が創業したベンチャー企業「エコシス」の仲間たちとともに、「これからはデジタル・キャッシュだ」と初めて共通認識を持ちました。この「デジタル・キャッシュ」という概念が、いまでいう「仮想通貨」です。

デジタル・キャッシュという言葉は、1989年にデビッド・チャームがデジキャッシュ社を創業するなどして、世界へ広がりました。デビッド・チャームは当時としては最先端の匿名性・利便性・安全性を備えていた「eキャッシュ」の開発者です。そして「eキャッシュ」は実際に、1995年にアメリカのマーク・トウェイン銀行で発行されました。

僕が運営していた日本における最初のホームページのひとつといわれる「富ケ谷《とみがや》」でも、その「eキャッシュ」を使って買い物ができるページをエコシスの仲間たちといっしょに立ち上げました。デジタル・キャッシュに傾倒していた当時、『デジタル・キャッシュ』（共著・中村隆夫《なかむらたかお》、1996年、ダイヤモンド社）という本も書きました。このように仮想通貨は、僕の関心につねにあったものなのです。

「暗号化」はインターネットの大きなテーマのひとつ

仮想通貨について解説する前に、インターネットの黎明期に、僕のまわりでどのようなことが起こっていたのかを少し説明しておきましょう。

1990年にアメリカの詩人・エッセイストであり、カルト的な人気を誇るグレイトフル・デッドへの歌詞提供でも知られるジョン・ペリー・バーロウ（2018年2月に死去）が中心となり「電子フロンティア財団（EFF）」が設立されました。さらに1990年代前半にインターネットのインフラを提供するプロバイダが生まれて、1996年のバーロウの「サイバースペース独立宣言」に賛同する人が増えると、「インターネットは国家の統制から離れて独立するべきだ」という声が高まり、インターネットを通じて「国家の統制に対抗しよう」という大きな流れが生まれました。

僕もそうした大きなうねりに加わったひとりです。1989年に創業されたアメリカのインターネットサービスプロバイダに「PSIネット」がありますが、同社は電話会社とは無関係の独立系のインターネットサービスのプロバイダです。僕はPSI

ネットの日本法人の取締役を務めました。

なぜ「電話会社と無関係」とわざわざ書くかというと、日本では1985年に電電公社からNTTへ民営化されましたが、仮想空間に理想的な世界を創ろうとする人たちにとって電話会社は「中央集権の権化」、いわば「国家の統制」の象徴でした。インターネットも物理的なケーブルに依存しているところもあり、その支配から逃れられないのです。インターネットプロバイダも、次々と電話会社につぶされるか吸収されていきましたが、最後まで残っていたのがPSIネットです。

PSIネットでは「国家統制へ対抗しよう」とした姿勢は徹底していました。当時は秘密でしたが、暗号により鍵がかかったサーバーをいろんな国に分散して存在するラックに入れて、外から中身をいじれないようにしようとしていました。さらに、それらのサーバーが保管されているデータセンターには警備員をつけて、物理的にも完全にガードして、完全に国家にコントロールできない空間をPSIネットはつくろうと試みたのです。

しかし、ウォール・ストリートや投資家たちからは「You are too crazy.（あなたたちはあまりにクレイジーだね）」と言われ、社債が更新できず資金繰りに苦しみました。大手通信会社「AT&T」からも買収のオファーがきていましたが、大企業に支配されることをよしとせず拒否したため、「国家統制へ対抗しよう」というPSIネットの試みは実現せずに終わりました。結局のところPSIネットは倒産したため、結果として独立プロバイダというものが消えてしまったのです。

国家VS.サイファーパンク

インターネットにおいて「国家の統制」が大きくクローズアップされたのは、1993年にアメリカ国家安全保障局（NSA）が発表した「クリッパーチップ」です。クリッパーチップはコンピュータのチップに組み込まれ、音声やメッセージを「暗号化」し、バックドア（裏口）を通じて国家が傍受できるようにするものでした。

「クリッパーチップ」は、いわば国家による国民の監視です。作家ジョージ・オーウエルが『1984』で描いた監視社会のようなものですから、仮想空間に理想的な世界を創ろうとする人たちにとっては脅威です。「サイファーパンク（暗号技術を使って政府のプライバシー監視に抵抗する人たち）」と呼ばれる人たちから猛反対を受けました。仮想空間において、いろいろな立場の人たちが「NSAとどう立ち向かうべきか」の声をあげ、たくさんの意見が交わされたのです。

僕もそのひとりであり、サイファーパンクについては、NHKの番組に情報提供することで協力しました（1997年4月28日放送されたBSスペシャル「ネットワークジャングル・電子網は地球をどう変えるか」第1回「暗号戦争・アメリカ」。ディレクターは花房周一郎《はなぶさしゅういちろう》）。

仮想空間において、いわゆる「プライバシー」はもともと重要なテーマです。当時コンピュータ・フリーダム・アンド・プライバシーというカンファレンスでは、暗号によるプライバシーを保った決済がどうなるか、プライバシーを保ったコミュニケーションはどうなるかなどが盛んに議論されました。また、1980年代の初頭にパロアルト研究所が中心になって、コンピュータの専門家が暗号化などさまざまな問題に取り組む「コンピュータ・プロフェッショナルズ・フォー・ソーシャル・レスポンシビリティ（CPSR）」という非営利組織が始まりました。

「仮想通貨」で国家から独立する

「暗号化」は、コンピュータやネットワークのなかに広がる仮想空間（サイバースペース）に理想的な世界を創ろうとする人たちにとって、重要な課題でした。

そのなかで登場したのがデジタル・キャッシュです。デジキャッシュ社の「eキャッシュ」がおもしろかったのは、暗号を使って相手が誰だかわからなくても、二重使用されていないユニークなコインだと確認できるアルゴリズムだったところです。つまり、デジタル・キャッシュの「暗号化」は、僕らが目指す理想的な世界にとっては重要な問題だったのです。

1990年代後半のデジタル・キャッシュ黎明期のころから、僕はつねに「国家とはなんだろうか?」「誰が世の中を支配していくのだろうか」と考えていました。先ほどホームページ「富ヶ谷」に「eキャッシュ」を導入したことを紹介しましたが、通貨がデジタルに置き換わることを想像すると、本当に仮想空間に独立した国ができるかもしれない、という気持ちがわき起こりました。

このころ、僕はデジタル・キャッシュに夢中で、政府の勉強会などにも参加しながら「サイバースペースに仮想国家ができる可能性が出てくるなかで、さまざまな議論をしなくてはいけない」と訴え続けていました。

自分でやってみることがたいせつだと、僕はつねづね思っています。とりあえず何でもやってみようと、ウェブサーバーや匿名メールも使っていましたし、デジタル・

キャッシュの「eキャッシュ」をインストールしたサーバーも自分で動かしていました。そこから実務的にタワーレコードのオンラインショップ運営などのリアルな世界のビジネスへの参画が始まりましたし、現在まで続く「デジタルガレージ」という会社を1995年に共同で創業する運びとなりました。

「独立の夢」はバブルでついえた

僕たちには「新しいサイバーな国には、新しい通貨が必要だ」という認識がたしかに存在していました。わかりやすい例が、2000年に設立された「ヘイブンコー(HavenCo)」です。インターネットデータの「ヘイブン（避難地）」として、個人や企業のデータの保管場所を提供する会社でした。イギリス東岸の沖合10キロに位置するかつての要塞が、シーランド公国という独立国を名乗っており、そこにヘイブンコーは存在しました。ネット社会のオピニオンをリードしている雑誌『WIRED』の表紙にもなりましたが、国家として独立した島にサーバーを置くことで（僕もヘイブンコーに投資していました）、本当にサイバースペースが国家から独立できる気持ちになっていた時代があったのです。

僕は1984年に初めてインターネットに接続しました。1990年代はワールドワイドウェブ（World Wide Web）など新しいツールも生まれたことで、ビジョンや夢が膨らみ、インターネット・バブルとなります。やがて、2000年にはバブルが崩壊し、2002年にはデジキャッシュ社も倒産するなどして、「サイバースペースが国家から独立する」という気運は水面下に潜ってしまったのです。残念ながら、ヘイブンコーも2008年に業務を停止しています。

新たなテクノロジーが最初に登場するときは、いろいろな想像がなされて、夢が広がります。そして本当にそれがコストパフォーマンスに見合うのか、どのくらいのスピード感を持って導入を進めるかなどについては、当時の僕はあまり先を見ずにやることが多々ありました。

しかし、往々にして大きな組織がそれをじゃまします。僕が経験したことですが、新しくて便利なテクノロジーに対しても、日本の大手通信会社が反対に回ったり、官庁の官僚たちが出てくることで、想定していたスピードが減速させられることがありました。新たなテクノロジーが社会に受容されるまでは、そういうことが起こるものなのです。

「ビットコイン」はリバタリアンの理想

それから、少し年月を経て2008年に発表されたサトシ・ナカモトのビットコイン論文から、仮想通貨への関心がじりじりと高まってきました。ここにきて、ようやく皆が何となくではありますが、仮想通貨の可能性に気づいたわけです。ここ数年でようやく初めて「仮想通貨」にリアリティが出てきています。

細かいところは別として、僕らが90年代の当時に仮想通貨で考えていたようなことは、現在のビットコインのありようについての問題意識とかなり近いものがあると思っています。サトシ・ナカモトの論文でも、「必要なのは、信用ではなく暗号化された証明に基づく電子取引システム」であり「信用に依存しない電子取引システムの提案」とあります。ここに書かれていることは、要するに「国家なんか信用するな」と言い換えることもできます。

それが英語でいう「リバタリアニズム（Libertarianism）」です。ちなみに、リバタリアニズムの始まりのひとつにはMIT出身の、デイビッド・ノーランが1971年につくったリバタリアン党があります。

国家からのマネー逃避

ところが、90年代の仮想通貨と昨今の仮想通貨ブームでは、その「在り方」に大きな違いが生じました。90年代が「新しいサイバーな国には、新しい通貨が必要だ」という「理念」ありきの仮想通貨ならば、今回の仮想通貨ブームは「利益」ありきの投機的な動きとなっているのです。

もともとビットコインが世界的に注目されたのは、2013年のキプロス金融危機です。キプロスをタックスヘイブン（租税回避地）として利用したロシアマネーが、大量にビットコインへ換金されました。さらに同年、人民元に不安を感じた中国人富裕層がビットコインへいっせいに換金を始め、中国政府が金融機関によるビットコインの取り扱いの一切を禁止することを発表する事態となりました。

こうした事実からわかるのは、ビットコインが国家から資産を逃避させる手段として買われたところからスタートしているということです。その意味において、仮想通貨が「国家」と切っても切り離せない関係であることがよくわかります。

もはや僕らが90年代の当時に考えていたような「仮想空間を国家から独立させるた

めに用いられる仮想通貨」という意味合いは、昨今の仮想通貨ブームにおいては、かなり薄まっているといえるのかもしれません。

新たな資金調達手法「ICO」とは何か？

そもそもリバタリアニズムの発想から始まっているはずのビットコインに代表される仮想通貨ですが、ここにきて第1章で紹介したようなシリコンバレーに代表される資本主義的な「スケール・イズ・エブリシング」に呑《の》み込《こ》まれつつあります。

その象徴的な存在が「ICO（イニシャル・コイン・オファリング）」です。現在、世界的な関心事のひとつになっています。

ICOは、新規に株式を証券取引所に上場するIPOに似た言葉ですが、テクノロジー系のスタートアップ企業が仮想通貨を介して資金を集める新たな手法として急速に普及しました。アメリカのゴールドマン・サックス証券の統計によれば、2017年6月以降のネット関連企業の資金調達において、ベンチャーキャピタルなどからの調達を上回る状況が続きました。

ICOが急速に普及した理由は、その手軽さです。ICOは、起業家や開発者が自分たちの提供する新しいサービスで使える「トークン（コイン）」を投資家に買ってもらい、その購入代金で資金調達する手法です。そのトークンの購入は仮想通貨で行われます。２０１７年は仮想通貨の高騰と相まって、世界中の投資家から容易に資金を集められました。

投資家がＩＣＯに熱を上げる理由

なぜ投資家がこれだけＩＣＯに熱を上げるかというと、購入したトークンが取引所に上場され売買が可能になると、さらに値上がりする可能性があるからです。

たとえば、インターネット上のウェブページを閲覧するための「ブラウザ」を開発するある会社が、広告を表示させないことでユーザーの利便性を上げるため、トークンを発行することで数千万ドルを超える資金を集めました。しかし、広告を表示させないブラウザの仕組みのためにトークンを購入した投資家はどれくらい存在したのでしょうか。ほとんどの投資家は、新たに提供されるサービスを使うためにトークンを買うのではなく、売却益を得たいからトークンを買っているのです。

これがもし航空会社のマイレージならば、又売りする人はいないので価格は変動しないでしょう。マイレージを利用したいから購入する人しかいませんので、ビジネスとしては健全です。しかし、又売り目的で購入する人もいないので、多額のお金を集めることはできません。

ある意味でトークンは又売りする誰かがいるから成り立つ仕組みです。暗号通貨の情報サイトを訪れると、いろいろなトークンがあたかも為替のようにチャートとして表示されており、「この値段で売り買いされている」とか「マーケットバリューがどれくらいか」など、ほとんど金融商品と同じように扱われています。

インチキなＩＣＯがたくさんある

トークンがマイレージのように消費できるものであれば、もしトークンの価格が下がったとしても、購入した人は納得します。しかし、僕が気になっているのは、ＩＣＯはマジメにやろうとしている人たちがいる一方で、本当にインチキがたくさんあることです。トークンがばくちのように売り買いされているなかで、インチキな連中が投資家からお金をだましとろうと暗躍しているのです。その昔、インターネットで惑星の土地を売りに出した人がいましたが、それと同じような人たちがＩＣＯを取り巻く環境にはたくさんいます。

ところが、ＩＣＯをめぐる問題について、これまで正面から批判する人はなかなか出てきませんでした。むしろ、シリコンバレーのベンチャーキャピタルだけではなく、ウォール・ストリートの金融機関もここぞとばかりにＩＣＯの輪に加わっているように見えます。「シェイク・ザ・ツリー（お金が落ちるまで木を揺らせ）」がウォール・ストリートの美学であり、彼らもＩＣＯを焚《た》き付《つ》ける側にまわっているのです。

シンガポールのあるカンファレンスで、金融業界の人が「マーケットには安定性は必要ない。ボラティリティ（変動性）がたいせつだ」と発言していたことを思い出します。彼らにとってみれば、仮想通貨やＩＣＯで発行されるトークンのボラティリティは、格好の標的なのかもしれません。

投資されたお金を返す義務はない

ＩＣＯはあまりに新しい手法であるために、基本的なルールが未整備です。たとえば、株式を上場している企業ならば四半期（3ヵ月）ごとに企業の業績を発表しますが、トークンを発行した企業にそうした義務はありません。

そして最大のポイントは、ICOはあくまでトークンの購入であって、会社が解散したとしてもお金が戻ってくるわけではない、という点にあります。通常、会社が倒産したとしても、たとえば資産が100億円残っているならば、その100億円は投資した株主に分配されます。しかし、ICOには返す義務がありません。トークン保有者には、1円も戻ってこない仕組みなのです。いわば社債のようなものです。

トークン発行者は、「これはクラウドファンディングに似ているが、似て非なるクラウドセール（Crowd Sale）だ」と主張します。不特定多数の人たち（クラウド）に対して、トークンというモノを売っているだけにすぎないのだという都合のいい解釈です。一方で、トークンを買っている人は、証券に近いものだと思って買っているのです。

これに対して、アメリカでは2017年7月に米証券取引委員会（SEC）がICOについての考え方を発表し、トークンを発行した企業が収益の一部をトークンにより分配するなどした場合、証券の法律で取り締まるという見解を出しています。

被害者が出る仕組みはやめよう

お金儲《かねもう》けをすべて否定するわけではありませんし、基本的には合法なものを勝手にやるのは仕方ないと思っています。ＩＣＯという手法そのものを否定するつもりはありませんが、いまのタイミングでトークンを設計するような会社のＩＣＯに僕は参加したくありません。

なぜなら、いまのＩＣＯが、最終的に損をする被害者がいるような仕組みの上に成り立っているからです。被害者が出るならば、設計した人にも義務があると、僕は思います。

賢いベンチャー投資家は、自分よりわかっていない人にトークンを売って逃げるでしょう。最終的に損をするのは、先物投資にだまされるような一般の投資家です。わかりやすく言えば、あなたのすぐそばにいる、おじいさんやおばあさん、そして学生たちです。結局のところ、ＩＣＯは情報弱者が痛い目にあう制度設計になってしまっています。被害者の損によって、自分が得するのは嫌です。

僕はこうした考え方を積極的に発言するようにしています。以前、「シンガポール・フィンテック・フェスティバル」という世界一大きいフィンテック（金融テクノロジー）のカンファレンスで、ICOについて基調講演をする機会がありました。「被害者の出るようなICOはやめよう」という主張は、会場にいる皆が言い出しにくい話題でしたが、僕がそれについて言及したことでいろんな人がICOの課題について発言してくれました。

ICOの健全化を目指すシリコンバレー

ベンチャー投資には「SAFE《セーフ》（シンプル・アグリーメント・フォー・フューチャー・エクイティ）」というものがあります。スタートアップの「虎の穴」的なベンチャーキャピタルであるYコンビネータが作った仕組みです。エンジェル投資家など初期のスタートアップ企業に投資する投資家が、次の投資があったときに、ディスカウント価格で投資ができる権利を付与されるものです。これは初期に投資してリスクをとったエンジェル投資家が後から入ったベンチャーキャピタルなどに損させられないようにした仕組みで、シリコンバレーでは、スタンダードなアグリーメント（同意）になっています。

同じ仕組みをＩＣＯに導入しようという動きがシリコンバレーでは起こっています。最近、始まったのが「ＳＡＦＴ《サフト》（シンプル・アグリーメント・フォー・フューチャー・トークン）」です。ベンチャーキャピタルがＩＣＯの前にトークンをスタートアップ企業からディスカウント価格で買い、もしトークンが公開されない、もしくはサービスが成立しなければお金を戻すアグリーメントを事前に得る仕組みです。ＩＣＯを健全な資金調達の手法に変えていこうと、まさに動き始めたところです。

インターネット・バブルの再来

仮想通貨やＩＣＯのバブルを見るにつけて、１９９０年代後半から２０００年代初期にかけて起こったインターネット・バブルを思い出します。当時はあまりにバブルであったため、マジメにやっていたはずのたくさんのＩＴ企業がダメになりました。でも、バブルがはじけて、取り巻く環境が厳しくなった以降に登場したＩＴ企業のほうが後に残っているものが多かったりします。たとえば、グーグルが株式公開をしたのはバブルがはじけた後、２００４年になってからです。

とはいえ、インターネット・バブルで生き残ったアマゾンのような会社もあります。お金目当てで盛り上がるICOバブルのなかでも、競争力のある企業をつくることができるはずです。また主流が株式の上場を目指すスタートアップ企業であったとしても、ウィキペディア（Wikipedia）がそうであったように、非営利で社会貢献を目指すような組織が成長する余地があるはずです。そもそもICOが最初に登場したころは、プログラムを無償で公開する「オープンソース」のプロジェクトに使えるのではないか、という希望がありました。テクノロジーの恩恵を社会へ還元するために、仮想通貨やICOを使うことは、いまでもできるはずです。

現在の仮想通貨やICOがバブルならば、いつかはじけることになるでしょう。そもそもテクノロジーが社会へ受容される過程では、そういうことが起こるものです。しかし、長い目でみれば、きっといい結果になっているはずです。

アメリカではICOバブルという局面に注目が集まりましたが、日本でも仮想通貨をめぐってさまざまなことが起こっている最中です。ときにはネガティブに受け取られることもあるでしょう。バブルが終わったときに、本質的な変革が始まるのだと僕は思います。

す。

リバタリアニズムの反動

ＩＣＯをめぐる動きを見るにつけて、仮想通貨の在り方について考えさせられます。

90年代が「新しいサイバーな国には、新しい通貨が必要だ」というリバタリアニズムの理念によって動かされていたことを紹介しましたが、いまはどうでしょうか。もともとはプライバシーや独立性を考えてつくられていたはずの仮想通貨のうえに、いろいろなフィンテックの会社が登場して、ある意味では普通のビジネスの範疇《はんちゅう》に収まってしまっているともいえるでしょう。

もちろん、「真のフィロソフィ（哲学）」が失われつつある現状に対して、純粋にビットコインの開発と普及に尽力するコアなハッカーたちは抵抗しています。しかし、シリコンバレーや資本主義的な「スケール・イズ・エブリシング」の圧力を目の前に、目立った活動は抑制される方向にあるように見えます。

僕は90年代のほうがもっとリバタリアニズムに寄っていた気がしています。日銀ともなるべくコミュニケーションをとり、勉強会を主催するなどして、デジタル・キャッシュの普及のために必死でした。仮想通貨やサイバースペースが徹底的な自由を得るために、国家との橋渡しが必要だと感じていたのです。

ところがいまは哲学などまったくなく、ただの儲け主義に陥っているのです。これ以上、ＩＣＯの被害者を生まないためにも、一定のルールが求められる局面になっています。

仮想通貨をガバナンスするのは誰か？

僕個人の見解としては、仮想通貨やＩＣＯにはある程度のガバナンス（統治）が必要だと考えているのですが、それが国家による規制や干渉では意味がありません。

ヒントになりそうなのが、インターネットにおける地球規模の調整機関となっている「ＩＣＡＮＮ《アイキャン》（Internet Corporation for Assigned Names and Numbers）」です。非営利の民間団体である彼らは、インターネットのドメイン名、ＩＰアドレスとポート番号の割り振りや割り当てを全世界的に行っています。

「ＩＴＵ（国際電気通信連合）」は国連の傘下で、国連加盟国にヴァチカンを加えた国家で成り立っていますが、ＩＣＡＮＮにおいては国家はいち参加者ではあるけれど、アドバイザリーカウンシルの立場にしかすぎません。国のものでも企業のものでもないので、ある意味でインターネットの独立したガバナンスを行えている組織だといえます。

仮想通貨の世界においても、僕はＩＣＡＮＮのような非中心的で非営利のガバナンス機関がお手本になるのではないかと考えています。

利害関係がない唯一の組織

ＭＩＴメディアラボは、非営利に近いアカデミック領域で活動しているため、仮想通貨やＩＣＯのガバナンスに対して意見ができる立場にあります。世界を見渡してみても、何かを売り込もうとしていない唯一の機関がメディアラボなのかもしれません。

メディアラボには「デジタル・カレンシー・イニシアティブ」というプロジェクトがあります。そこにいるメンバーはじつに多彩で、「ビットコイン」のリード開発者や、早い決済がウリの仮想通貨「ライティングネットワーク」の創業者、元国際通貨基金（ＩＭＦ）のチーフエコノミスト、元バンク・オブ・イングランドのデジタルカレンシーのトップ、アメリカの商品先物取引委員会（CFTC）の元会長などが所属しています。仮想通貨やICOに対して、おそらく世界でいちばん自分たちの経済的な利害や損得を考えないで意見できるチームです。

メディアラボではさまざまなプロジェクトが動き始めています。たとえば、シンガポール通貨監督庁（MAS）や米州開発銀行などが僕らのメンバーに加わりました。国際機関がどのように仮想通貨やICOをガバナンスすべきか、議論を始める予定です。先日も世界で5番目くらいに大きな暗号通貨である「IOTA《アイオタ》」のバグを発見しました。日本円にすると時価総額で5000億円くらいの規模のものです。

なぜメディアラボがいろいろな機関と組んで物事を進められるのかといえば、いちばん利害関係を持っていないからです。

学術機関だからこそ貢献できること

そうした役割は、国家が果たせばいいのではないかと考える人もいるかもしれません。なぜメディアラボのような学術機関が関わるのか、不思議に思われるでしょうか。実は、純粋な学問とは別に、さまざまなテクノロジーに関する実効的な研究もしています。

インターネットの世界も同じです。インターネットの技術開発を牽引《けんいん》したのは、最初はやっぱり学術機関だったのです。たとえ大学に国のお金が投下されているケースがあったとしても、研究を進めるのは学術機関です。

仮想通貨やICOは、まだ始まったばかりです。お金儲けだけにとどまらない世界をどうやったらつくれるのか。世界で技術力もあり、かつ利害関係もないのが、いまのメディアラボです。

〈文庫版のためのアップデート〉

2018年3月に新書版は刊行されましたが、その直前、日本において仮想通貨取引所のコインチェックから約580億円分の仮想通貨NEM《ネム》が流出し、大きなニュースになりました。以降、グローバルに仮想通貨に対する規制強化が進み、日本でも資金決済法・金融商品取引法が2020年に改正されました。

その後、新書版で予想したとおりICOバブルははじけ、コインチェック事件以降の数年は「仮想通貨の冬（Crypto Winter）の時代」と呼ばれました。

一方で、ＩＣＯブームをつくったイーサリアムが台頭、スマートコントラクトを基盤にして２０２０年にＤｅＦｉ《ディーファイ》（Decentralized Finance：分散型金融）がブームになり、２０２１年以降、ＮＦＴ（Non-Fungible Token：非代替性トークン）やGameFiなど、さまざまなＤＡｐｐｓ《ダップス》（Decentralized Applications：分散型アプリケーション）が花開き、ｗｅｂ３のグローバルムーブメントへとつながります。

特に、ＮＦＴの盛り上がりは目覚ましく、アート、音楽、チケット・会員権、メタバースなど、活用の幅が広がっています。

現在、ＩＣＯに代わる新たな手法として、仮想通貨取引所にトークンを上場するＩＥＯ（Initial Exchange Offering：イニシャル・エクスチェンジ・オファリング）や、分散型取引所にトークンを上場するＩＤＯ（Initial DEX Offering：イニシャルＤＥＸオファリング）が登場しています。

テクノロジーは着実に進化し、詐欺的な怪しい資金調達を防ごうと、少しずつですが仕組みは進化していますが、充分な安全性が確保されているとは思えません。ただ、単純な投機目的で資金が集まっていた時代から、世の中がこの手法に慣れ、かつ賢くなり、社会的に意義のあるプロジェクトが多く立ち上がっていることも事実ですし、これからさらによくなっていくでしょう。投資家も含めて社会の理解が深まって、新しい組織形態であるＤＡＯ（分散型自律組織）も次々と生まれています（ＤＡＯについては第３章で説明します）。

第3章　「ブロックチェーン」は「資本主義」をどう変えるのか？

仮想通貨を支える技術として「ブロックチェーン」は多くの人が知るところとなった。新たなテクノロジーの登場で、インターネットが「ディセントラリゼーション（脱中心）」に向かったように、通貨や経済も脱中心へと歩みはじめた。「お金」を介在せずに成り立つ新しい価値はあり得るのか。コミュニティにおける通貨的な価値を持つものは何か。「仮想通貨」と「自然通貨」というふたつの通貨を解説し、これからどのように「資本主義」と向き合うべきかを考える。

「ブロックチェーン」とは何か？

仮想通貨を支える技術として、「ブロックチェーン（Blockchain）」に注目が集まっています。仮想通貨の背景にある流れが「暗号化」であることについて触れましたが、ブロックチェーンは仮想通貨の取引データを暗号化して、ひとつのブロックとして記録、管理する技術です。

取引データがネットワークに参加するコンピュータ上で分散的に管理されるため、インターネットの性質に似ています。日本語では「分散化」と表現されていますが、英語では〝decentralization《ディセントラリゼーション》〟であり、語義からすると「非中央集権化」「脱中心」といった意味になります。

情報を持つコンピュータが1ヵ所に集中せず、複数のコンピュータにより共有される「P2P《ピア・トゥー・ピア》」であるため、セキュリティを確保することができ、かつ低コストでの運用が可能です。また記録のトレーサビリティが確保されており透明性が高く、暗号化により匿名性が担保されているため、所有権を明確にする必要がある「証券」や「通貨」など金融分野での活用が見込まれる新たなテクノロジーです。

ブロックチェーンを使って「デジタル・アセット（電子的な資産）」の管理ができるようになると、貸し付けや債券に留《とど》まっていた資金の流動性が上がり、お金がもっと投資に向かうでしょう。ただし、いまのところは先に述べた仮想通貨やＩＣＯが最も早くブロックチェーンを活用しており、そこに資金が流れています。

問題は投資家のリスクがはっきりと可視化されておらず、投資というより投機になっていることです。ブロックチェーンの活用がさらに進み、株式や債権の市場と同じようにトークン発行者が持つデジタル・アセットの実態を投資家が把握できるようになり、いまよりもリスクが減ればお金がもっと動くようになるでしょう。

脱中心に向かう金融と経済

ブロックチェーンという新たなテクノロジーを考えるための視点として、いちばんたいせつなのは、効率化によりコストが安くなることではなく、インターネットのように「ディセントラリゼーション」に向かうことです。

プロの投資家が投資をして、銀行が企業にお金を貸し付けるといったように、いままでの金融は中心で幅を利かせる「仲介業者」のためにありました。しかし、ブロックチェーンの活用により、企業は投資家からじかにお金を集められるようになるため、金融や経済がもっとＰ２Ｐになっていく可能性があるのです。

通貨はもっと多様であるべき

ビットコインだけではなく、世界には数え切れないほどの仮想通貨が誕生しています。国家が発行する通貨の種類は、地球上で国家が増えない限り、増えることはありませんでした。通貨の種類の上限がある程度、決まっていたといえるでしょう。ところが、仮想通貨は理論的には無限に増やすことができます。ＩＣＯも同じです。トークン（コイン）は誰かが「発行したい」と考え、購入者がいれば増えつづけます。

世の中にたくさんの通貨やトークンがあるほうが、国の通貨だけが流通するよりも、世界が変わる可能性があると僕は思います。これは第1章で、ひとつに集中させるのではなく、たくさんに分散させたほうが「レジリエンス（回復力、しなやかさ）」が高い、と述べたことと共通しています。人間の社会は、やはり「スケール・イズ・エブリシング」ではないと思うのです。

自然界を見渡してみてください。酸素や糖分を使う生き物もいれば、酸素や糖分を廃棄物として出す植物もあります。通貨の比喩として有機体を見れば、その種類の数だけさまざまなプロセスがあり、各プロセスで自分が必要なものと他者が必要なものが違います。もし地球上に酸素がなくなれば、酸素を使わない生き物が出てくるでしょうし、メタンがなくなれば、それに代わるものが出てくるでしょう。自然界では何らかの違う形で補うバックアップ機能が働き、地球は「レジリエンス」を持って対応するのです。

人間も同じですし、経済を有機体として見るならば同じことです。ひとつの金融装置、ひとつの基準のままでは、どこかで経済がクラッシュし、機能しなくなるリスクがあると考えています。

「仮想通貨」と「自然通貨」

ブロックチェーンなど新たなテクノロジーの登場により、これから多様な通貨が登場するとしたら、僕は通貨には大きく分けてふたつの概念が存在すると考えています。

ひとつは「仮想通貨（Virtual currency）」です。本書では、話をわかりやすくするため「暗号通貨（Cryptocurrency）」と「仮想通貨」をあえて分けず、日本人になじみのある「仮想通貨」という言葉を主に使って記述していますが、英語圏ではビットコインは「暗号通貨」と呼ぶのが一般的です。ここで言う「仮想通貨」は、英語の"Virtual（バーチャル）"の語義に近いもので、「仮想」ではなく「実質的には本物と同じ」という意味になります。

語弊を恐れずにいえば、国家が発行する通貨も「バーチャル」です。たとえば、日本銀行が発行する日本銀行券の紙幣は、それ自体に実質的な価値はありません。紙幣を金（ゴールド）と交換できる「金本位制」は、とうの昔に終わっているからです。しかし、国家が発行する通貨はあらゆるものと価値を交換することができ、実質的には価値があるため、通貨であり得ます。

「仮想通貨」という言葉は、すでに第2章の説明で多用しており、また、これから広がると見込まれるデジタル世界との相性がいいため、ここから本書では「デジタル通貨（Digital currency）」と言い換えて説明をしていきたいと思います。

そして、もうひとつが「自然通貨（Natural currency）」です。これは、地球のバランスシートのうえでは重要なもので、たとえば森林やマグロなど、要するに「自然資本（Natural capital）」に基づく通貨です。

テクノロジーで自然資本を管理する

先に「自然通貨」について説明しましょう。これからの世界では、新たなテクノロジーを介することで、「自然資本」をより正確に低コストでコントロールできるようになります。

たとえば、二酸化炭素の排出量がわかりやすいでしょう。かつては手動でやっていたことが、いまはコンピュータのシステムにより「オーディット（性能や信頼性を検査する）」しています。それにより排出権の売買が活性化しています。

二酸化炭素の排出とは逆に、太陽電池を使うと通貨の価値がプラスになるのはどうでしょうか。自分の家に設置した太陽電池で発電したエネルギーを提供するとトークンをもらうことができ、そのトークンでエネルギーを買うことができるようになれば、エネルギーを価値交換するひとつの市場ができます。エネルギーは典型的な中央集権・中央管理型のインフラですが、トークン市場により分散化することができるかもしれません。

マグロの漁獲も「自然資本」

日本に関係しそうな具体例としては、マグロを「自然資本」として、その漁獲権をトークン化する手法が検討されています。ご存じのとおり、マグロ（クロマグロ、タイセイヨウクロマグロ、ミナミクロマグロ、メバチ）は国際自然保護連合（IUCN）により絶滅危惧種に指定されており、より厳格な資源管理が求められています。世界の海で、どの地域のマグロをどれくらい獲《と》ると、管理者にいくら払わないといけないかを可視化するためにトークンを用いるのです。

たとえば、ニュージーランドの東方に位置するクック諸島では、世界の4割くらいのマグロが生まれています。この地域で生まれたマグロを「自然資本」として、これをトークン化することで流動性を高めて価値を上げることで、マグロを保護するための資金を捻出することもできます。「自然資本」は、その資本が生まれたところに権利を与えることで、うまくバランスをとりながら管理していこうという動きです。

また、こうした価値は、いままでの資本主義的な市場経済では、なかなか可視化できなかったものです。企業のバランスシート（貸借対照表）に、「自然資本」を反映することはなかなかむずかしいことでしょう。

こうした「自然資本」をあえて市場経済に組み込む必要はありません。自然界に存在するさまざまな「自然資本」を通貨やトークンの形で管理できるようになれば、ナチュラル・バランスシートができるはずです。目に見える形にすることで、改善を促すことができるようになるかもしれません。

オイル自体が通貨になる可能性も

市場経済において、すでに先物取引市場がある「原油」に対して、通貨やトークンを適応したらどうなるでしょうか。いままで原油をドル建てで計算していましたが、最近になり中国の人民元建てで先物取引を始める動きがありました。経済における中国の存在感が増し、世界でも有数の石油輸入国となったからです。こうした動きは国家通貨に大きな影響を与えます。

石油を「自然資本」とみなして、新たな通貨やトークンが発行されるようになると、こうした資本主義に基づく国家通貨のバランスが大きく変わる可能性がありますす。これがいいことなのか悪いことなのか、はっきりとはわかりませんが、技術的には透明性を持って管理できるようになります。誤解を恐れず言えば、物事の価値やリスクがよりクリアにわかるようになるはずです。

いままでは見えにくかった状況が可視化されることで、リスクが高いと考えられていた先物市場のリスクを下げることができるかもしれません。新たなテクノロジーの登場により、新しい選択肢が生まれたのです。

ハンバーガー通貨におけるふたつの課題

さきに「自然通貨」についての説明が続きましたが、もっとおもしろい可能性を秘めているのは「デジタル通貨」なのかもしれません。いままで目に見えにくかった価値を見えやすくすることができます。たとえば、マクドナルドの「ハンバーガー通貨」はどうでしょうか。マクドナルドが大好きな人がいたとして、その人がハンバーガーしか食べないのだとしたら、ハンバーガー通貨をもらったほうがうれしいということがあり得ます。

マクドナルド側にしてみれば、ハンバーガー通貨が発行されており、自分たちの資材がそのハンバーガー通貨で先物買いのように購入することができるなら、お互いハンバーガー通貨でやり取りが成立してもおかしい話ではありません。要は、自分とハンバーガーとの関係を安定させることができ、心配しなくてもいいという点がたいせつです。

仮にこのような独立したデジタル通貨ができていくのだとすれば、思い浮かぶ課題はふたつです。

ひとつめは、為替をどう考えるかです。為替や価格の変動によって、企業は、つねに不安とリスクにさらされています。為替の問題は思った以上に根深く、僕がソニーの社外取締役をしていたとき、ソニーの業績は明らかに為替に振りまわされていました。輸出企業であれば、円安のほうが利益を上げることができますが、円高に際しては損を被ることがあります。為替の影響を受けず、もっと安定した会計基準があればいいのに、と感じることが多々ありました。

ふたつめは、その会計をどうするかです。さまざまな「デジタル通貨」が出てきたときに、どのように会計を行うのか。異なる価値の間をどのように計算すべきなのか。考える余地があると思います。

価値はコミュニティの人と人の間にある

さて、通貨的な価値を持つものは、世界や社会のあらゆるところに存在していま す。特に、国家や宗教、地域など、ある特定のコミュニティがあるところには、同じ価値観を持つ人が所属するため、通貨的な価値が流通しやすい環境が生まれます。

デジタルの世界でも同じです。すでにたくさんのネットコミュニティがありますが、デジタル通貨が利用されるシチュエーションとして、いちばんわかりやすい例がコンピュータ・ネットワークの「ゲーム」です。僕がハマったゲームに「ワールド・オブ・ウォークラフト（ＷｏＷ）」があります。登録ユーザーが１０００万人を超えるオンライン・ロールプレイング・ゲームです。

ＷｏＷは、ゲームの外にある現実のドル通貨とゲーム内で使われるゴールドのやり取りが、基本的にはできないようになっています。僕の所属するギルド（グループ）のなかには、現実世界でお金持ちの人もいますし、裕福でない人もいます。職業もさまざまで、経営者から会社員、軍人もいればトラックドライバーもいます。

人間の持つ時間は1日24時間と平等です。ゲーム内のゴールドを稼ぐために必要な時間は、だいたい決まっているので、現実世界では裕福でない人でも時間さえあればゲームの世界でお金持ちになることができます。ひとたびゲームの世界に入り込めば、現実世界でお金を持っていようが、持っていまいが関係なく、フェアな仕組みになっています。もし同じゲームで何百時間、何千時間と人よりたくさんの時間を費やせば、ゲーム内では自分の価値を証明できるのです。

このようなフェアに開かれた世界でも、脱法的に外の世界でゴールドを買ってチート（ズル）をする人が出てきます。そういうときはギルドのようなコミュニティの存在がたいせつです。僕のいたギルドは、ゲームの外でゴールドを買うと、ギルドから追い出されるルールがありました。これはコミュニティに所属するメンバーそれぞれが、同じ価値観を持ち続けるために必要なルールです。

たとえば、僕が仲間のプレイヤーのために、ゲーム内でゴールドを稼ぐ作業を徹夜でしたとしましょう。そのゴールドで強い武器をつくって、次の日の戦いに勝利したら、きっと僕が時間をかけて作業した価値がとても大きくなります。でも、もしそれを20ドル渡してゴールドを買ってきて仲間へ渡したとしたらどうでしょうか。同じゴールドでも、価値がぜんぜん違います。これがコミュニティにおいて、通貨的な価値が流通しやすいという意味です。

お金で解決できるゲームはむなしい

いまのゲームはお金で解決できるものが多いように思います。僕が好きなＷｏＷでは、奇抜で目立つ格好をするためや、ゲーム内でペットを飼うために、それらをお金で買うことができますが、基本的にはゲームの勝ち負けに貢献できないものがほとんどです。本当に強い武器は、時間をかけて手に入れるしかありません。

これがもし、お金をつぎ込めばつぎ込むほど強くなるゲームだったらどうでしょうか。最初は差が大きく開かないのでいいかもしれません。でも、長い目でみたとき、プレイヤーは時間をつぎ込むのがバカバカしく感じてしまうでしょう。長続きするコミュニティにはなりません。

このようにゲームを例にすると、デジタル通貨がいかにコミュニティにとってたいせつな要素であるかが理解しやすくなります。ビットコインなどいまの仮想通貨は、ドルや円など現実世界のお金と交換できることが前提になっていますが、ＷｏＷのようにあえて現実のお金と交換できない仕組みを考えるのもおもしろいのではないかと思っています。紙幣や硬貨などモノとして物理的にお金をつくるにはフィジカルコストがかかりますが、デジタル通貨ならばおそらく、それほどむずかしくなく実現が可能です。

仮想空間にも価値が生まれる

ゲームをプレイして感じるのは、そこが現実世界なのか仮想空間なのかが、それほど重要ではないということです。なぜなら、同じ価値を共有する仲間やコミュニティがあり、その空間で通貨的な価値が生じるストックが存在するからです。

昔のことではありますが、僕も本気になってゲームに没頭していた時期がありました。そのころの自分をふり返ってみれば、現実世界のモノよりも、ゲーム内のアイテムのほうが価値が高いと感じていたことを覚えています。ゲーム内のたいせつなアイテムを失うほうが、喪失感が大きかったのです。

またギルドへの所属も同じです。ゴールドは保持できるけど村八分になるのと、ゴールドは失うけど村八分を免れるのを選べと言われれば、間違いなくギルドに残れるほうを選択したでしょう。仮想空間とはいえ、人と人とのつながりに、ゴールドよりも重い価値を感じていたのです。それはけっしてお金で買えるものではありません。

僕自身の体験のなかでゲーム以外の例を紹介するとしたら、インターネット百科事典「ウィキペディア」も同じコミュニティです。最近はあまり更新に貢献できていませんが、僕はウィキペディアのコミュニティにおいて700回以上編集しているという実績があります。これがお金になるわけではありませんが、ウィキペディアのコミュニティ内で選挙があったとき、ある一定の編集回数をこなしている人しか投票できないという基準があります。つまり、ウィキペディアでは「編集回数」がひとつの通貨的な価値として機能しているのです。

多様なコミュニティは成長する

では、仮想空間のコミュニティにおいて、つながりを維持するのに大事な要素は何でしょうか？　僕は「役割」だと思います。ゲーム内におけるゴールドの多寡や、キャラクターの強い・弱いだけで、プレイヤーの優劣が判断されるのならば、それはとてもつまらないゲームになってしまいます。

これもＷｏＷの例になりますが、僕のギルドには「ＷｏＷの歴史」を語れるおもしろい人がいました。彼女は「これから戦うドラゴンには、過去にこういう歴史があって、おそらくこういうシーンで登場してくるから、これに注意して進むように」とメンバーに的確に指示してくれるのです。

あるいは、指揮官タイプもいます。「この戦場で戦うときの有効な作戦はこうで、僕はこうやって戦う練習を1日かけてしたから、君はここに立ってこの武器を持ち、こうやって戦ってくれ」とリーダーシップを発揮するのです。

変わったところでは、仮想空間において母性を存分に発揮するプレイヤーもいました。ギルドのみんなが集まったときに「彼のお母さんが昨晩お亡くなりになったので、きょうは皆でやさしく接してあげよう」などと話すのです。

僕はといえば、ギルドのリーダーを務めたり、マネジメントを担当していました。ギルド内のルールやランク（階級）を決めたり、チーム構成を考えるのが役割です。おもしろいことに、ひとつのギルドが大きく成長して強くなるには、多様性が絶対に必要なのです。ゲーム内の仕組みとしても、いろいろなタイプの人がいないとギルド全体が出世しないというシステムを採用しており、ギルドが多様性に向かうようにデザインされています。同じようなタイプのプレイヤーが集まるギルドほどうまくいかず、コミュニティが崩壊しやすいというのは現実世界と大きな差がないともいえるのではないでしょうか。

4つのプレイヤー分類

少し余談になりますが、ＷｏＷがなぜおもしろいかについて、過去に学者が研究しており、いくつも論文が提出されているほどです。エセックス大学の教授で、僕も以前ハマったことがあるゲームを開発したクリエイターでもあるリチャード・バートルは、ＷｏＷのプレイヤーを大きく4つに分類しています。

ひとつめは「達成者（Achievers）」。自分のレベルや装備の数値を伸ばすことに喜びを得るタイプです。ふたつめは「探検家（Explorers）」です。新しい地域や隠れた場所を発見したり、地図を作ったりという冒険的な行為を好む、好奇心旺盛なプレイヤーです。３つめは「ソーシャライザー（Socializers）」。ゲームそのものよりも、ほかのプレイヤーたちと相互に交流を楽しむタイプです。４つめが「キラー（Killers）」。これは文字どおり、競争心が強くて、破壊や相手をやっつけることで自分が優位であることを楽しむ人です。

自分がどのタイプのプレイヤーになりやすいかを想像して、コミュニティでどんな役割を担えるのかを考えるきっかけとして、とてもおもしろい分類法です。

仮想空間でも必要なガバナンス

先の第2章で、仮想通貨やICOにもある程度のガバナンスが必要だと述べました。実は、WoWでの経験もあって、このように考えるようになったところもあります。ある研究者がWoW内のギルドを調査したところ、ルールがないギルドよりも、きちんとしたルールがあるギルドのほうが、メンバーそれぞれがリラックスしているという結果が出ました。僕も体感知として、そのことが理解できます。

インターネットも同じです。ネットは誰にも開かれたオープンな空間であり、どう振る舞おうと自由ではありますが、前述のウィキペディアにせよ、著作物の配布を許可する国際的な非営利組織「クリエイティブ・コモンズ」プロジェクトにせよ、ルールはきっちりとしています。きちんとしたガバナンスがなければ、オンラインコミュニティは機能しないからです。

本当にお金はたいせつなのか？

ここまでブロックチェーン技術により新たに登場するだろう、「自然通貨」と「仮想通貨」という2種類の通貨について考えてきました。いまがテクノロジーにより新たな通貨が生まれるタイミングであるため、お金について考えることがよりたいせつになってきています。

すでにお金を持っている人たちについては、お金では買うことができない「ミーニング・オブ・ライフ（人生の意味）」をいま以上に考える必要が出てきました。一方で、お金は持っていないけど、ある特定の価値観やコミュニティを持っている人については、どんな価値をお金に交換して生活していくかを真剣に検討しなければなりません。

ただし、ノーベル経済学賞を受賞した行動経済学者のダニエル・カーネマンは、「お金によって得られる幸せは年収7万5０００ドル（日本円で約８５０万）程度まででである」と述べています。お金がないからといって、無限に稼ぐ必要があるかといえば、そうではありません。必要以上にお金を得たとしても幸せになれないのであれば、何のためにお金はあるのでしょうか。

お金で解決できない問題が多い

第1章で少し触れましたが、やはり第二次世界大戦後の日本やヨーロッパは、とにかく戦争により資源が枯渇しており、食べ物も着るものも不足していました。ゆえに「とにかく経済を立て直して生産性を上げるために突き進む」という、誰にとってもわかりやすい「ミーニング・オブ・ライフ」が国家や社会全体として与えられていました。

それに比べれば、いまの世界はとても複雑になっています。世界を見渡してみても、ダライ・ラマのようにお金とは無縁の人であるにもかかわらずたくさんの人から尊敬されている人がいれば、北朝鮮の金正恩《キムジョンウン》のようにお金に関係なく世界を振りまわす人もいます。何をすれば尊敬され、何をすると皆が幸せになるのかがわかりにくくなっています。

環境問題とお金の関係も不思議議です。中国やインドがモノづくりに注力して、生産力を上げるほど彼らはお金持ちになりますが、そのときに住む環境がよくなるかといえばそうではありません。いったん環境破壊が問題になり、それを正そうと思ったときには、すでにお金だけでは解決できないものになっています。

いま世界に横たわる多くの問題が、お金で解決できるものではありません。これからの世界や社会で必要とされるのは、お金を稼ぐのが上手な人ではなく、国際関係や環境を安定させることがうまい人たちです。

ローマ教皇のお守り

僕がお金について考えさせられたエピソードをひとつご紹介しましょう。先日、ヴァチカンを訪れて、ローマ教皇に謁見《えっけん》する機会をいただきました。

ヴァチカンといえば、ローマ教皇が住むカトリック教会の総本山です。カトリック教会にお金がどれくらいあるのかはわかりませんが、少なくとも彼らは世界に対して1000年以上も持ち続けることができた、お金では買えないパワーを持っています。

謁見が無事に終わったあとに、ローマ教皇からお守りをいただきました。カトリック教徒にとって、このお守りはローマ教皇に「祝福」されたお守りであり、大変に価値のあるものです。僕はカトリック教徒ではないので、あるカトリック教徒の研究者にお守りをゆずりました。もちろん無償です。

あとから聞いたことですが、もしローマ教皇からいただいたものをお金で売買すると「罪」になるそうです。「祝福」はお金に換えてはいけない、他人に売れないというカトリックのルールがあるわけです。たとえ教皇からいただいたものをお金で買ったとしても、そこに込められた「祈り」や「祝福」は降り注ぐことはないのです。第三者が有効に所有できる唯一の方法は、見返りなしでもらうことだそうです。

このように、教皇のお守りは、お金の交換価値がなくとも、とても価値が高いものになっています。お金が持つ「意味」について、とても考えさせられました。

安易にお金に換えてはいけない

博士号をお金で買うことはできませんし、僕たちのまわりには、お金で買えないものがあふれています。

メディアラボのメンバーは必死に働きますが、彼らを突き動かしているパワーは、間違いなくお金では買うことができない価値です。所長は、彼らが目の前の取り組みに一生懸命になってもらうよう、いろんな仕組みを考えていますが、その仕組みはお金で買えるような道具ではけっしてありません。

第1章でも「学位はお金で買えない」と述べましたが、むしろ「学位」がお金に換算できるような仕組みをつくったとたんに、価値がなくなってしまう可能性すらあります。お金には、価値を持つもののニュアンスや美学を減じてしまう側面があるからです。ローマ教皇のお守りに似ていますが、アカデミック領域における価値を市場経済と結びつけて、安易にお金と交換できるようにしてはいけません。

人間関係はお金に換えないほうがいい

人間関係も同じです。もし、僕と友人がやったことを、すべてひとつのバランスシートに落とし込んでお金として計算するようなことをすれば、もはや友人というよりは取引先です。本来、人と人との間に、見返りを求めない行動が生まれるのがいい人間関係です。

「見返りを求めない関係」から1段レベルを落とすと、「いつか返してくれるから投資しよう」というギブ・アンド・テイクの関係になります。もう1段落とすと「してあげたのだから、すぐに返してほしい」になります。いちばんレベルが低いのが「持っていくだけ持っていく」ただのテイクです。

お金に換えないほうがいい関係性がある一方で、価値をお金に換えたほうが物事をいいほうに進めやすいものもあるでしょう。

あらゆる物事がお金の価値によって、一元的に測ることができるわけではありません。だからこそ、「自然通貨」と「仮想通貨」など本章で紹介したような新たな通貨やトークンが必要となる余地があるように思います。

あらゆることが「価値」を持つ世界で、これからは正当にその「価値」を測ることが必要になるのではないでしょうか。

〈文庫版のためのアップデート〉

この章では、ワールド・オブ・ウォークラフト（WoW）を通じて仮想空間における価値について書きましたが、その後「メタバース（Metaverse）」が大きな流行となりました。

また「お金の交換価値がない」けど「価値があるもの」について続けて解説しましたが、２０２２年にイーサリアムの共同創業者ヴィタリック・ブテリンが新たに提唱した「ＳＢＴ（Soulbound Token：ソウルバウンドトークン）」は、まさにそれをテクノロジーにより実現したものです。「ソウルバウンド（魂に紐付《ひもづ》く）」は「譲渡不可能」という意味であり、ヴィタリックはＷｏＷに登場する用語から着想を得たことをブログで明かすなど、本書との不思議な巡り合わせを感じます。

ＮＦＴブーム時には、アートのＮＦＴが高額で売買されたことが大きなニュースとなりました。人の興味は金銭的な価値に集まりやすいものですが、ほかにもコミュニティのメンバーだけに付与されるデジタルファッションのＴシャツＮＦＴ、「ありがとう」の気持ちを表すＮＦＴ、レストランで「よい振る舞い」をしたお客にだけ付与されるＮＦＴなど、ＮＦＴの使いみちはアイデア次第です。本書にも書いたように、「ミーニング・オブ・ライフ（人生の意味）」や「何がたいせつな価値なのか」について、あらためて人は考えを巡らせるべきだということを強調しておきたいと思います。

仮想空間のガバナンスについても、現在web3の「脱中心」の思想を体現した組織のあり方として「DAO（分散型自立組織）」の概念が広まっています。「経営者↓従業員」といった上意下達ではなく、何事もメンバー全員参加のもとで直接民主主義的に決められる仕組みは、本章で議論したオンラインコミュニティの延長線上にあります。

現実に、さまざまなDAOが生まれており、研究者が集まり研究テーマや予算振り分けを投票により決める「DeSci《ディサイ》（Decentralized Science：分散型科学）」、スポーツチームのファンが集まり投票でユニフォームを決めたりイベント企画をするDAO、カーボンクレジットを購入して地球環境問題の解決を目指すDAOなど、領域は多岐にわたります。

日本独自で発展を遂げている領域として、地域活性化を目指す「ローカルDAO」があります。僕も関わっている「山古志《やまこし》DAO」などがその代表的存在です。「山古志DAO」は、2021年12月に新潟県山古志村の有志が始めたものです。人口800人、高齢化率55％超の限界集落で、特産品の「錦鯉《にしきごい》」をNFTアートとしてリリースし、NFTの所有者がデジタル村民となる仕組みです。デジタル村民は1000人を超え、リアル村民の規模を超える新たなコミュニティとして、NFTの販売収入を元手にさまざまな地方創生プロジェクトに取り組んでいます。

このような取り組みは、岩手県紫波町《しわちょう》の「Web3タウン」構想を実現するDAO、複数自治体の連合である「美しい村DAO」など、日本各地で始まっています。国内の人口減少が進行するなかで、DAOを通じて地域課題の解決に関わる人や自治体の魅力を発信する人が増えるなど、新たな地域創生のあり方が模索されています。日本独自のモデル「ローカルDAO」のさらなる発展に、僕も期待をしています。

第４章「人間」はどう変わるか？

人工知能や人間拡張のテクノロジーが発展することで、人間の果たす役割や意味が変わる可能性が指摘されている。進化しすぎたテクノロジーは、人間の存在そのものを圧迫するかもしれないという危険性も同時に危惧させるようになっている。いま最も必要とされているのは、正しい「倫理」を設定することである。また人間の在り方を知るため、環境としての「都市」について考える。

そもそも人間とは何か？

人間性を尊重し「人間」の解放を目指す。いわゆる「ヒューマニズム（Humanism）」の主張は、昔もいまも存在します。しかし、最近になり僕たちは「そもそも人間とは何か？」という疑問を突きつけられています。新たなテクノロジーの登場により、いままではSFでしかなかったことがだんだんと現実味を帯びてきて、いままでになかった概念が生まれました。テクノロジーによる「人間拡張（Human Augmentation）」であり、また「人間と機械の融合」です。

ＭＩＴのフェローであり、「バイオニック・ポップアーティスト」を自称するヴィクトリア・モデスタは、足に障がいを持って生まれました。彼女は自らの意思で片足を切断し、付けた義足をポジティブな力に変えて、音楽やファッション分野で活躍しています。

圧巻なのは、彼女が先の尖《とが》った義足をつけて踊るミュージックビデオ「プロトタイプ（Prototype）」です。彼女はクリスタルで彩られた義足や、メタル製のスパイクをはめて登場し、マイナスのイメージが強い「義足」の概念を根底から変えようと試みています。ユーチューブで公開されて世界中で話題となり、２０２３年現在では、視聴回数は１４００万回を超えています。

「義足」はかつて、切断などによって失われた足の代わりにつけるものでした。基本的には、なくなってしまった身体《からだ》の一部を「補う」ために存在していたというのがいままでの常識です。

しかし、科学技術の進歩により、人間が持つ足よりも能力が高い「義足」が登場しました。高い推進力を持つカーボン製の義足をつけた選手は、すでに人間の足で走るスピードを上回ることができるようになりました。

僕は「パラリンピックがいつの日か、オリンピックを超える競技会になる」ことをいつも想像をしています。人間が拡張の方向に大いに進んでいくだろうと予想していますし、それを可能にするテクノロジーが次々と登場しているからです。

「なぜ？」に答えるむずかしさ

パラリンピックが「障がい者」の競技から、「拡張者」の競技に変わったとき、必ず起こるであろうことは、「拡張することの倫理的な是非」です。新しい倫理や美学を探っていくことが必要であり、議論が求められます。バイオテクノロジー、人工知能、ゲノム編集……人間が拡張する延長線には、新しいテクノロジーがすべてつながってくるでしょう。

オリンピックにおいてドーピング（運動能力を高めるために薬物を使う）はなぜい

けないのでしょうか。病気を治療するためのクスリと何が違うのでしょうか。新しいテクノロジーが次々と登場してくるなかで、何をしてよくて、何をしてはいけないのか、ということを決めていくことは非常にむずかしいはずです。

実験ではすでに、細菌や古細菌がウイルス感染を防御するために発達させた免疫防御システム「クリスパー（CRISPR）」を使って、ゲノム編集や遺伝子治療をすることが進んでいます。脳をいかに拡張させるかの研究や、さらには脳とコンピュータを直接につなげる研究も始まっています。

それらの分野に投じられている研究開発費が飛躍的に増え、またそのジャンルに興味を持つ優秀な技術者や研究者が増えているところを見るに、いつかはすべて実用化が現実になるでしょう。もしかしたら、そんなに遠くない未来かもしれません。

いずれにせよ、新しい「倫理」のあり方を「パラリンピック」は社会に先行する形で、世の中に提示することができる予感がします。

テクノロジーにより「問い」が遍在する

新たなテクノロジーの登場により、これからはそうした「なぜ？」が世の中にあふれることになるでしょう。

たとえば、遺伝子工学を用いて人間のクローンを１００人つくっていいのでしょうか？　クローンとして生まれた人の権利はどうなるのでしょうか？　人間のクローンをつくることは現実味を帯びてきていますので、もっと具体的にいえば、相続税はかかるのでしょうか？　クローンに対して自分が遺《のこ》した遺言は有効なのでしょうか？

たとえ「クローンへの遺言は有効である」と認められたとしても、社会一般の感覚とズレてしまうこともあり得ます。「クローンに遺言した」といっても、「この人はいったい何を言っているのだろう」とまわりに思われてしまえば、有効なのか無効なのかよくわからなくなってきます。

本当に遺伝子編集を用いていいのか？　いったいそれは誰の責任により行われるのか？　そもそも自分の身体ならば勝手に拡張していいものなのか？　身体を拡張していいのならば、自然界や環境も拡張していいのではないか？　このように答えのない「問い」が社会に遍在するようになります。何ができて、誰が行い、どう行ったらいいのか。すべてはこれからの課題です。考え出せばキリのないほど議論すべき点があるのです。

「そもそも論」が必要

アメリカでは宗教的な背景もあり、「堕胎してはいけない」という意見を持つ人が多くいます。それが妊娠中絶薬での堕胎ならばいいのかなどは、国や文化や宗教の違いによって、いろんな意見を持つ人がいます。

最近の話でいえば、ＬＧＢＴＱ＋（レズビアン、ゲイ、バイセクシャル、トランスジェンダー、クエスチョニング、プラスアルファ）同士の結婚です。お互いが持つバックグラウンド（背景）やコンテクスト（文脈）を理解しない限りは、議論が前に進むことはありません。

このように考えていくと、新たなテクノロジーが生む数えきれないほどの「問い」に対して、お互いが「そもそも論」を語るべきタイミングがいまだといえるでしょう。僕は新たに生まれた「問い」に対して、皆で議論を深めていくような〈ムーブメント〉の気運を高めたいとつねづね考えています。

「トランスヒューマニズム」の思想

テクノロジーがあらゆる人間の拡張を可能にするなかで、注目を集めるようになったのが「トランスヒューマニズム（Transhumanism）」です。これは科学技術を使って人間の身体や認知能力を進化させ、人間を前例のない状態まで向上させようという思想です。

トランスヒューマニズムを信じる人たち（トランスヒューマニスト）は、「人間は人間以上の存在になるために科学技術を使用すべきだ」と考えます。こうした考え方は、第1章で紹介した「シンギュラリティ」の思想に近いと僕は感じます。

トランスヒューマニズムの考え方を先に進めていくと、必ず「人間と人間でないものを分ける一線は何か？」という「問い」が生まれることになるでしょう。人間とトランスヒューマンがどのように共生するのか、宗教や文化の違いを認め合うことができるのかといったことも課題になりそうです。

僕はトランスヒューマニストではありませんから、彼らが本当にどう考えているかはわかりません。自然界や環境との共生はどう考えているのか、人間の身体拡張と自然との調和はあり得るのかなど、疑問を抱く部分があります。

人工知能やバイオテクノロジーなどの科学技術により、たしかに人間が触媒（ミディアム）になって何でも生み出せるようになるのかもしれません。しかし、そもそも「進化」という視点で見れば、これまでの進化はいいものと悪いものが分かれていません。どのような進化がふさわしいのかは、自然や環境によって決定してきたものです。トランスヒューマンネスには、こうした進化の文脈が欠けており、シンギュラリティと同じように、やはり極端な部分があるのではないか、というのが率直な感想です。

都市はどう変わるか？

僕が「身体拡張」「感性拡張」の次に人間と「自然との共生」や「都市との共生」というテーマに注目している理由は、やはり人間は、自然や環境とのつながりのなかに存在するものだと考えているからです。

「人間がどう変わるか？」を考えるにあたり、「都市がどう変わるか？」というアジェンダは避けて通れないものです。ここから、僕なりに世界の都市をどう見ているのかについて述べたいと思います。

僕がいちばん感動した都市に関する本で、いまだに印象に残っているのは、アメリカの女性で最も有名な環境運動家であるジェイン・ジェイコブズが1961年に発表した『アメリカ大都市の死と生（The Death and Life of Great American Cities）』です。

アメリカのニューヨーク市マンハッタンにある下町「グリニッジ・ヴィレッジ」に住んでいた彼女は、高速道路の建設や都市の再開発に反対して、逮捕されたこともあります。ニューヨークを「自動車」中心の都市に変えようとした社会の流れに対して、ペデストリアン（歩行者）や地元の住民たちと、反対運動のムーブメントを起こすことで開発をストップしたのです。

歩ける距離をたいせつにする「ペデストリアン・シティ」

ジェイン・ジェイコブズはその本のなかで、都市にとっていちばんたいせつなのは住む人とネイバーフッド（ご近所さん）の文化だと主張しています。

彼女と同じ主張を述べているのが、ＭＩＴメディアラボのケント・ラーソンです。

彼は「ペデストリアン・シティ（歩行者都市）」、つまり歩ける距離になんでもあるのがいいと考えているのです。

彼がよく例にあげるのが、モータリゼーション（自動車化）以前に完成された都市であるフランスのパリです。パリにある20の行政区はそれぞれが小さな村であり、歩ける距離にある村がつながることでパリという都市はできています。車は遠くへ行くためにあるのであって、都市のなかでは歩ける範囲に必要なものはあるべきだということです。それぞれの区域には、レストランも薬局もカフェも、だいたいあります。かつての東京もほとんどの生活インフラが歩ける距離にありましたし、日本の村もそうだったはずです。

ところが、アメリカは世界を代表するモータリゼーションの国です。都市開発の在り方も、住居の地区と商業の地区、学校や会社がある地区など、ゾーンごとに分けてしまっているため、車がないと生活が成り立ちません。歩く人がいない都市は、僕はちょっと不自然に思います。パリといえばカフェ文化がありますが、ゾーニングのようなエンジニアリング的デザインが都市をおかしくしていて、文化がすっぽりと抜け落ちているのです。

中国も新しいペデストリアン・シティをつくろうとしています。世界の国々がペデストリアンに注目しています。世界の都市を見るときに、重要な視点は「モビリティ（移動性）」です。

「モビリティ」としての自動運転車

都市の新しいモビリティとして、「自動運転車」が世界的な話題となっています。これからの都市のモビリティを考えると、自動運転車に向けて一気に道路などの都市のインフラを変えてしまうのが得策です。

都市の再開発は、自動運転車の導入を前提としたほうがいいと僕は思います。たとえば、グーグルはトロントのウォーターフロントでそうしたことをやろうとしています。「国の予算」という日本的な都合もあるでしょうが、同じような取り組みを日本でもちゃんとやったほうがいいと思います。

僕は都市のインフラが自動運転車用に切り替えられるのであれば、なるべく早くすべて切り替えるべきだと考えています。なぜなら、おそらくいちばん安全なのは、一気にすべてを自動運転車に替えることだからです。

自動運転車とそうでない車を混ぜると、人間側も判断に困ります。これまでの新しいテクノロジーが登場したときと同じような反応という意味で、自動運転車に対しても反発が起こるでしょう。中途半端な導入では、社会のルールや人々の常識が自動運転車に不利な方向で形成されてしまうおそれがあるのです。

いずれにせよ自動運転とそうでない車と歩行者を混ぜると、問題は自動運転の車だけが走っている世界よりもずいぶんと複雑になるので、そのステップを踏むかどうかについても議論が必要になります。

都市に自動運転車を導入する流れに、僕はすごく前向きです。すでに自動運転を可能とする技術やデータの蓄積はできてきました。

自動運転は「倫理」が問題だ

自動運転については、技術的な課題も残っていますが、それはエンジニアリングで解決すべきものです。しかし、もっと大きな課題があります。自動運転車の「倫理」の問題です。

ドイツでは、国が法案として自動運転車に対してさまざまな提案をしており、一定のルールが決まりつつあります。そのひとつに「人間は動物よりも優先すべきだが、人間同士に差別があってはならない」というものがあります。これは僕の想像ですが、ドイツにはナチスによる差別の歴史があり、ドイツ人には「差別は避けなければならない」という意識が強いのではないかと思います。しかし、一般論として「若い人よりも年寄りを敬うべきだ」という考えもあり、年齢による差をつけることは非常識ではありません。

僕がなぜこのルールに着目したかというと、自動運転車では「差別」が避けて通れないシチュエーションが想定されるからです。たとえば、あなたが自動運転車に乗っているとしましょう。ハンドルを握らずとも、目的地へ向かって車は走ります。すると物陰から横断歩道に歩行者が飛び出してきました。お母さんと子供の親子2人のようです。ハンドルをきって車が壁にぶつかるか、車が歩行者の親子2人をひいてしまうかの2択です。さて、あなたではなく、自動運転車はどのように判断するでしょうか？

皆さんは当たり前のように「乗っている人が1人なら、その人を犠牲にして親子2人を救うべきだ」と考えるでしょう。しかし、そんな仕様になっている車を買いたいと思うでしょうか。そうすると、自動運転車は経済合理性に基づいて、車のなかにいる人を優先すべきだとなります。その仕様が正しいなど、誰も思わないでしょう。

犠牲者に優先順位をつけられるか？

　こうした自動運転にまつわる「命題」は、誰がコントロールすべきなのか、まだはっきりとは決まっていません。誰が誰を犠牲にすべきなのか、主体が誰なのか、どの団体が決めるべきかという「問い」に対しては、「国が決めるべきではない」という人が意外にもたくさんいます。

「ある人を助けるために、ほかの人を犠牲にすることは許されるのか？」という倫理上の問題提起は、昔から「トロッコ問題」として知られています。こうしたジレンマには、はっきりした結論は出せません。

　結論がないことから、皆さんは「事故が起こったときの状況判断しかない」と思われるかもしれません。しかし、これは倫理上の思考実験ではなく、実際に起こりつつある現実の問題です。ゼロかイチかの「トロッコ問題」とは性質がまったく異なります。

　わかりやすいケースで考えてみましょう。たとえば、先ほどの親子2人のケースと同じように、左側に学校へ登校する子供たちがたくさん歩いており、右側に老人が1

人歩いていたとしましょう。このとき、なるべく大事故を起こす確率を低くするため、自動運転車は少しだけ右側に寄って走るのが合理的判断ということになります。実際に、開発者はそうしたアルゴリズムを自動運転車に組み込むことになります。

別のケースではどうでしょうか。左側にAさんがいて、右側にBさん親子2人がいます。この場合も、Aさん側に寄るのが正しい選択なのでしょうか。見方によれば、自動運転車はBさん親子を巻き込んで事故を起こす確率やリスクを減らし、Aさんを巻き込んで事故を起こす確率やリスクを増やしていることになります。この判断は許される範囲の調整なのでしょうか。もし問題が起こったとき、責められるべきは自動運転車に乗る人でしょうか。メーカーでしょうか。アルゴリズムを開発した人でしょうか。いまのところ統一見解はありません。

テスラの自動運転車

アメリカのシリコンバレーを拠点に自動運転の電気自動車を開発する会社に「テスラ（Tesla）」があります（皆さんすでによくご存じでしょうが）。実際に、僕はこのテスラの自動運転車に乗っています。

運転してみると、自動運転車はまだ進化の過程であることがよくわかります。たとえば、高速道路に乗ったときにそのことを強く感じました。テスラの自動運転は、今あなたは高速道路ではハンドルを握っているかと確認されるので、自動運転にもかかわらずとても注意がしつこくなっています。以前は、これほどまで注意されることはなかったので、おそらく事故が起こったことでやり方が厳しくなっているのだと思います。

テスラのディーラーは、売るときに「自動運転時は運転に集中しなくてもいい」と言いますが、高速道路に乗ったときの自動運転車は「運転に集中しろ」と非常にうるさいのです。いったいどういうことなのだろうかと考えましたが、僕が想像するに、人間は運転に集中すると疲れます。そのため、運転に集中させないため、あえて自動運転車が運転手に対して「大丈夫ですか？」と話しかけているようなのです。「いったいどっちなんだ？」と笑ってしまうような話ですが、どうやらあえて運転に集中させないためのオーギュメンテーション（強化）のようです。

自動運転は発展途上であり、実用的にはまだまだむずかしさを感じますが、実際に乗り続けていると進化を感じる瞬間もあります。たとえば、週末に、人がたくさんいるボストンの中心地ハーバードスクエアで自動運転に切り替えても、ちゃんと動きます。もちろん、放っておくとぶつかると思いますが、注意していれば乗っていられるレベルです。

コンピュータの過ちは許されない

では、自動運転車で事故を起こしたときの責任は、どうなっているのでしょうか。テスラの自動運転車は、乗車時に「我々の責任ではなく、あなたのリスクで使っています。了承しますか？」という確認があり、「はい、わかりました」と言うことではじめて自動運転が始まるような操作方法になっています。

自動運転レベル4と呼ばれる「高度自動運転（特定の状況下でのみ、加速・操舵《そうだ》・制動という操作をドライバーの関与なしに自動車が行えるもの）」という段階ですが、いまのところは運転手に事故の責任を押しつける形です。

一方で、ドイツのあるメーカーは「こちらが責任を取る」と言っています。自動運転車において誰が責任を取るかという問題にも、やはり統一見解はありません。

過去には、裁判所でも同じような問題が起こりました。アメリカでは「リスクスコア（Risk score）」というものが存在します。犯罪者が再犯を起こす確率についてビッグデータを用いて推測し、犯罪者自身の社会に対するリスクを計算して、刑期を決めるという試みです。

リスクスコアのデータは、あるベンチャー企業がつくったソフトで計算していますす。計算のためのデータは、いろいろな指標を用いていますが、一部で黒人に「バイアス（偏見）」がかかっているのではないか、とする研究もあります。

しかし、それでもやはり人間の裁判官よりは公正に行うことができる可能性があります。人間は、「人間だから」とたとえ不公正があったとしても、「過ち」として許されています。でも、コンピュータが間違うのは許されません。なぜなら、コンピュータはデータに基づいて判断を下すため、同じような間違いを毎回起こしてしまいます。結果として、バイアスは残り続けますし、こうした部分の法律づくりはとてもむずかしいのです。

アンフェアなAI

いまは運転手（人間）が瞬時に決めていることですが、自動運転車はこうした判断を瞬時に行っていくアルゴリズムを必要としています。社会にとっての課題は自動運転車を普及させることではありません。社会的な倫理をどうやって自動運転に組み込んでいくかが重要です。

テクノロジーの進展次第ではありますが、自動運転においては、おそらく人間が運転するよりもＡＩやコンピュータのアルゴリズムに運転させるほうが、絶対的な交通事故による被害者は減ることになるでしょう。そう考えると、自動運転車を普及させたほうが社会にとって有益です。

しかし、特定の誰かを差別するようなアンフェアなＡＩやアルゴリズムを使った自動運転車があるならば、普及させないほうが社会のためです。現在のように、自動車メーカーがショールームで車を売り、「私は子供を大事にするＡＩの自動運転車がほしい」「私は自分がいちばん大事だから、運転手を守ってくれるＡＩの自動運転車がほしい」というように、それぞれが好みの自動運転車が買えるという状況を許してはいけません。

経済合理性が社会のエンジンとなっている現在、ずるずるとそうした状況になってしまう可能性があります。いち早く議論を進めることが必要です。皆で問題点をひとつひとつ指摘しながら、少しずつ物事はいいほうへ進み、やがて解決していくはずです。

都市のサステナビリティ

都市のモビリティから、自動運転車というテーマに少し踏み入って解説しましたが、再び都市の話に話題を戻しましょう。

現在、モビリティと並んで世界的なテーマになっているのは、都市の「サステナビリティ（Sustainability、持続可能性）」です。つまり、持続可能な都市はどういった姿なのかが研究されているのです。

都市のサステナビリティはとてもむずかしい問題です。本来ならば、水資源はその土地の近くに住む人たちのものですから、彼らが有効活用するのがたいせつなはずです。ところが、都市はそうした自然資源から遠い場所に位置しています。都市は遠くにある湖の水を引っ張ってくるような乱暴なことをします。

大都市であればあるほど、食料やエネルギーをどのように周辺の地域から持ってくるか、それについてどうやって責任を取るのかを深く考えなくてはいけません。物理的にみて、地球にとってどれくらいマイナスなのかの計算がなくてはならないのです。

都市をどうやって自然に戻していくかという試みについては、MITメディアラボの研究者で建築家のネリ・オックスマンが進めています。彼女の研究を簡単に説明すると、計画的に都市のなかに緑を導入するというよりも、すでに都市があって、そこに緑を戻すという流れを重視しています。

これから建てられる建物では、9％はグリーンスペースにする、使うものは自然の素材を使うなど、一定のルールを考えています。素材によって「建て方」がまったく違うというアプローチもありますし、植物が動くような建て方も考えられるそうです。さらに、建築とアート、建築とエンジニアリング、建築とバイオロジーを融合させることも考えられます。都市のなかで、どのようにすればこれまでと違う生き方が可能になるか、議論が進められています。

「ローカリティ」には学ぶべきことがある

都市のサステナビリティを考えるうえで、僕は「グローバリズム」と「ローカリテイ（地域性）」という視点がたいせつだと考えています。

僕が注目しているのは、「インディジネス・ピープル（先住民）」から自然とどう暮らしていくのかを学ぶムーブメントです。これは「ローカル・リテラシー（Local literacy）」と呼ばれることもありますが、彼らの知恵をどのように都市へ還元していくかを考えていく動きです。もちろんローカリティに注目する動きは、グローバリズムへの反動という側面はありますが、インディジネス・ピープルから学ぶべきことは多いと僕も考えています。

――ローカル（地元）に何らかのつながりがあり、しっかり土地と結びついた人の視点やコンテクストで、都市や環境を考えることがたいせつです。

自然や文化は自分たちで守る

ローカリティの視点で活動しているものに、アマゾン川流域のインディジネス・ピープルへのサポートを通じて、原生林を守るというプロジェクトがあります。

そこには「カヤポ」というインディジネス・ピープルがいるのですが、彼らは自分たちの暮らす森に農民や鉱山採掘者など自分たち以外の人々が入ってこないようにずっと戦ってきました。でも、1990年代に国（ブラジル）から土地を譲り受けることになり、その居留地でアマゾン川流域の原生林を守り、自分たちが営々と続けてきた文化で暮らしています。

ときどき都市に出てくることもありますし、スマートフォンも持っていますが、元の文化は保っています。2600万エーカー（日本の国土の約3分の1程度）の広い土地をわずか8000人でカバーしていて効率もよく、教育も受けています。彼らは道路をつくることもなく、大きい家もつくらず生活しており、アマゾン川流域の自然保護に貢献しているのです。

また海をインディジネス・ピープルが管理している例もあります。クック諸島にあるマラエ・モアナという地域で、マリン・サンクチュアリ（海洋自然保護区のようなもの）を形成しています。彼らは世界のマグロの4割が生まれる海のうち、69万スクエア・マイルを2万1000人でカバーしています。

各島にリーダーがいて、ルールやプロセスをつくり、自分たちの暮らしを守っているのです。こうしたローカリティに注目する動きは世界中で起こっており、ほかにも中国やコロンビアなどにも同様の試みがあります。

グローバルがローカルとつながるときに、どう共存するのかというのが、現在の問題として大きく横たわっています。昔の人たちも、そのときどきのテクノロジーやサイエンスをもって、合理的なコントロールをしていたのは歴史的事実でしょう。たとえば、アメリカのインディジネス・ピープルも動物や魚を保護し、きちんとコントロールやマネジメントをする方法を文化として持っていました。グリズリーベアの声をちゃんと聞いていないと危ないなど、彼らが自然とつながりながら築いてきた文化は、僕らが学ぶべき自然保護の考えも包摂しています。彼らから学ぶものは、とても多いと思っています。

地域から〈センシビリティ〉を学ぶ

いままでの「国際貢献」は、先進国などお金を出す側が、「文化的に遅れている地域」という認識で、「その地域に住む人たちを助ける」という意味合いが強かったように思います。しかし、いまは違います。彼らからローカル・リテラシーを学び、彼らが持っている知恵を今後に生かすために活動しているのです。

彼らインディジネス・ピープルの〈センシビリティ〉を、つまり「考え方」や「美学」を先進国に移転しながら、これからも積極的にシェアしたいと考えています。

〈文庫版のためのアップデート〉

この章で取り上げたヴィクトリア・モデスタさんは、東京パラリンピック関係のイベントでも活躍されていました。オリンピックは、いろいろなゴタゴタがあって、多くの日本人にとって「忘れてしまいたいイベント」となってしまったのは本当に残念でした。

一方で、パラリンピックは未来的なものを提示できたのではないかと強く感じました。多少、裏話的になりますが、東京パラリンピックにおいて「障がい者をかっこよく見せよう」とこだわったのが野《の》田《だ》聖子《せいこ》さんでした。彼女はご自身も障がいを持つお子さんの親として、障がい者支援に力を入れていることをご存じの方も多いでしょうが、多くの抵抗意見がある中で、「パラリンピックはすてきなイベントだ」という演出を成功させたのは、とてもよかったと思います。

パラリンピックもダイバーシティの観点において、たいせつなイベントですが、一般的な場面での多様性も広がっているように感じます。たとえば、渋谷区《しぶやく》が先鞭《せんべん》をつけた「同性パートナーシップ証明」の制度は、2022年11月から東京都でも「同性パートナーシップ宣誓制度」が開始されているように、全国に広がりつつあるのは、喜ばしいことです。

この章で取り上げた「自動運転」については、僕が予想していたよりも「完全自動運転車」の登場は遅れています。テスラも約束どおりのスケジュールでアップデートされたソフトをリリースできていませんし、グーグル系の企業が手がける自動運転タクシーのサービスを提供する「Waymo」は2020年からアリゾナ州フェニックスでの監視員が同乗しない完全自動運転車サービスを一般にも公開しており、サンフランシスコでも同様の試みを行う予定と報道されています。ただし、当初いわれていたスピード感でないことは確かです。

日本では、「新東名高速道路にレベル4のレーンを作る」ことが発表されました。主に夜のトラックで実証実験されるようですが、どう運用されるかが楽しみではあります。

ただ、ハードのテクノロジー開発が遅れることに伴い、僕がこの章で提示した「自動運転の倫理問題」にまで議論が深まっていないことが残念です。このテーマは全世界の人々が深く考えるべきテーマなので、ぜひこの話を忘れないでいただきたいと思います。

第5章　日本の「教育」をどう変えていくのか？

伊藤穰一が精魂を込めてムーブメントを起こそうとしているのが「教育分野」だ。特に最新の概念である「ニューロダイバーシティ」について、それに注目するに至ったきっかけや、自閉症の人たちの人類への貢献度、そして誰も置き去りにしない教育を実現させるために必要なものについて語った。

ニューロダイバーシティとの出会い

現代は多様性を大事にする時代といわれています。そのひとつの概念として大いに議論されているのが、ニューロダイバーシティです。この言葉は、ニューロロジカル（神経学）と、ダイバーシティ（多様性）を合わせたもの。人のさまざまな特性の違いを多様性と捉え、社会の中で活《い》かしていこうという考え方です。人とのコミュニケーションが苦手、強いこだわりが特徴の自閉スペクトラム症など、これまでネガティブとされていた部分を個性と捉え、特筆される部分を伸ばすことで、既成の考えに縛られない新たなイノベーションを生み出すことが期待されています。

僕がそもそもニューロダイバーシティについて深く考えるようになったのは、MITメディアラボの所長になったころまで遡ります。きちんとしたデータで出されているわけではありませんが、MITの学生の6〜7割に自閉症傾向があると、メンタルヘルス（心の健康）の担当者が言っていました。実際に、僕が教えている学生にもそういう子が多くて、大学の中では、自閉スペクトラム症などについてふだんから身近な話題でしたし、そのうえで、そうした傾向の人を大学がきちんとサポートしていました。

僕もそうした学生たちから学んだことは多いです。そして自閉症の中にも、いろいろな傾向があって、「あの人はこういう考え方をするから、こういう説明の仕方のほうがいい」と教えられ、「ここの部分は本当に天才的だけど、ここは苦手だね」ということを実感したことがありました。

測れるものはつまらない

　ですから、ニューロダイバーシティという言葉が一般化される前から、個々の学生たちがぜんぜん違うことを考えている中で、どうやって能力を伸ばすのかについては議論されていました。たとえば、メディアラボを創設したニコラス・ネグロポンテは、「測れるものはつまらない」と強調していました。つまり、数値化できるもの、テストにできるものは意味がないと。テストにできるものは、すでに答えが出ているからです。大学の試験も、答えがあるから学生を判定できるわけで、答えがわからないものを探すほうがおもしろい、というのがメディアラボにおける共通認識でした。ほかにも、教授の招聘《しょうへい》もそうですし、学生のプロジェクトも同様ですが、簡単に測れないものを求めるという行為そのものが多様性に近いのです。

　そして、次に大きかったことは、自分の娘が自閉スペクトラム症だと分かったことです。彼女をどのように学ばせるか、どこで学ばせるかについては自然と関心が高くなり、日々勉強しているのです。

なぜダイバーシティが必要なのか

　ダイバーシティが大事な理由はいくつかあります。ひとつはデジタル化の促進です。昔は工場で同じことをみんなできちんとやり、人を入れ替えてもプロセスが壊れない仕組みを作りました。人間を道具のように使うことは、当時はすごく必要でした。モノ作りの国・日本にはそうした人材も必要ですし、その要請によって教育を含めて標準化されていました。歴史的には、産業革命からずっと、そういう教育システムで回ってきました。フォーマット化された人間がたくさんいることで、効率よく社会が動いたからです。昔の生産性向上は、最適化することから求められていました。

　一方、デジタル社会になると、同じものを同じ精度で大量に作ることはロボットが得意です。さらにＡＩ（人工知能）も進化してくると、多様なクリエイティビティも含めて、ダイバーシティが重要な生産性向上のパーツ（要素）になってきます。コンテンツやクリエイティブを最適化するためには最大化が必要なのです。最大化＝ダイバーシティで、経済原理的にも、社会の質を上げる観点からも、日本の競争力を上げるために求められるのが多様性なのではないかと、僕は考えています。

標準化によって生まれる不幸もある

それに関連して忘れてはいけないのが、最適化と標準化から出てくる不幸もたくさんあるということです。現代は標準化された人間になれないと、はみ出てしまいます。そもそも標準的な人間はそんなにいなくて、みんなデコボコしているはずですが、みんなを標準化することによって社会的なコストが大きくなります。コストというとお金のことかと思う人も多いかもしれませんが、社会的に不幸な人がたくさん出てくるという意味です。社会から置いていかれる人もいれば、無理をして普通にならなきゃいけないという圧力は、アンフェア（不公正）でアンハッピー（不幸）な状態を生み出します。その結果、メンタルヘルスや自殺など、いろいろな意味で社会にとってマイナスなインパクトをもたらしているのです。

2015年に国連でSDGsが採択されて以降、ウェルネスや社会のフェアネス（公平性）、そして困っている人たちを助ける社会福祉、それと競争力。この4つの言葉を多く見かけるようになりました。実はそのすべてが、ダイバーシティと関係しています。そして、ニューロダイバーシティは教育や職場に直接関係しているものなのです。ニューロダイバーシティとは、いわゆる障がい者と呼ばれてしまう、学科試験などの評価システムに従って標準化された人たちと同じことをやるのがつらい人たちに目を向けることです。そこには「目が見えない」、「耳が聞こえない」、「自閉症」、「ADHD（注意欠如・多動性）」など、いろいろな傾向を持つ人が含まれます。そういう人たちをサポートすることはもちろん大事なのですが、僕がひとつ気になっていることがあります。

自閉症の人がいなければ人類はいまも洞窟暮らし

それは、「ほとんどの天才は自閉症だけれど、ほとんどの自閉症は天才ではない」という事実です。たとえば、テンプル・グランディンという学者がいます。彼女は自閉症ですが、社会に大きなインパクトを残す業績を挙げています。グランディンは自閉症が人類の進化に大きく寄与してきたと考えており、「自閉症という特質がなければ人類はいまも洞窟の中で暮らしていたかもしれない」と述べています。僕が大好きな言葉です。

先ほども触れましたがＭＩＴの学生は6～7割が自閉症傾向があるといわれています。そして、ＭＩＴだけでノーベル賞を96個（２０２２年現在）獲得しています（日本は28個）。やっぱり天才は自閉症であることが多く、その中の優秀な人を一生懸命サポートするとノーベル賞学者がたくさん出てくる。わかりやすい事実で、これはこれでやるべきですが、現実としてＭＩＴに行けない子もたくさんいます。当然、その子たちにもサポートは必要です。アメリカの文脈ですと、障がい者を障がい者としてちゃんと位置付けて、その人たちも助けています。

その意味で、ニューロダイバーシティは、複雑な構造にあるともいえます。まだまだ、どちらかだけを見ている人たちも多いからです。障がい者のみんなを助けなければいけないという人もいれば、天才を伸ばさなければ意味がないという人もいます。ですが、ひとりの人間の中でも、こういう文脈だとすごく障がいがあるけれど、この文脈だと天才的ということがあります。そんな、デコボコの人も多くいると思うのです。それゆえに、フェアネス（公正性）と競争を同時に構えることがとても重要な姿勢で、どちらにも偏りすぎないほうがいいというのが僕の個人的な考えです。

従来の「アメとムチ」ではないセラピーが

ニューロダイバーシティを教育システムに落とし込んでいく中で、おもしろいアプローチだと思っているのが「フロアタイム（Floortime）」という自閉症のためのセラピーです。アルツハイマーを含め一般の人たちにも適用されていますが、「学び」は〝ラーニング（教え）〟ではなく〝デベロップメント（発達）〟が大事だという考え方に基づいたセラピーです。それは、人間がまず「安全な気持ち」にならないと、「学び」もできないし、人間や世の中に対して、「内在的な動機」という興味を持たないと、人とつながることができないというアプローチです。

一般論として、自閉症傾向の人間にとって「コグニティブロード（認知不可）」というものが、大きくマイナスに作用することがあります。たとえれば、初心者が車を運転するときに、アクセルとブレーキに集中するあまり、目の前の道に対して注意が向かなくなる状態。そんな状態にある人に、難しい選択を迫ってもできるわけがないということで、フロアタイムではまず安心させてあげることに集中するのです。

アメリカでは近年、「普通の人」という言葉は使われない傾向にあります。代わりに社会が常識的だと考える行動を受け入れて育った人を「ニューロティピカル」と呼びます。

いまのほとんどの自閉症セラピーはＡＢＡ（応用行動分析）に基づいているケースが多いのです。これは、やってほしい行動をすると報酬を与え、やってほしくない行動には報酬を与えないという、いわゆる「アメとムチ」というやり方です。バラス・スキナーの発達障がい児への支援方法ですが、人間を限りなくニューロティピカルに変えていくのです。目線を合わせるとクッキーをあげるとか、1時間座って本に集中したらご褒美をあげる。そうすると目線を合わせることも学ぶし、「アメとムチ」でだんだんと外から見ると限りなくニューロティピカルな子どもになります。ただ、アメリカでいろいろと見て、特に当事者団体の方と話をすると、「行動はニューロティピカルだけれど、中からどんどんずれてしまい、内在的な動機や意欲など、精神的な安定性がボロボロになってしまう子が多い」と聞きます。

喜びを圧迫すると発達も圧迫される

僕が見た例として、ユーチューブの鉄道の動画を見るのが好きで、喜びの表現として叫ぶことが多い子供がいます。ＡＢＡの場合は、叫ぶと「やめなさい」と言って、ほかの行動をアメで促すのでしょうけれど、フロアタイムのセラピストは、いっしょになって画面に顔を近づけて電車を見て、その子が叫ぶとセラピストも叫ぶ。その後、床に置いてある電車で遊び出しました。子供もすごく楽しそうにそのセラピストと遊ぶんです。フロアタイムの場合、まず子供と接続する。子供と同じように一生懸命興味を持ってくれる先生に対して、「仲間だ」という気持ちにさせていく。「叫ぶ」ことが喜びの表現だとしたら、それを圧迫するのではなくいっしょにやる。子供の唯一の喜びの表現を圧迫すると、発達もまた圧迫されることになります。ですから、教科書で数学を教えるよりも、電車で遊びながら電車を通じて数学を教えるとすごくやる気が出たのを目の当たりにしました。

フロアタイムとは、床に降りて子供と同じ目線で子供を通じて彼らの発達を拡張していくアプローチです。それにより、学びは自然に起きる。学びを図るのではなくて、発達を図るというやり方です。僕は自閉症に限らず、ニューロティピカルの子も同じだと思います。ニューロティピカルの子がやりたいことや、はまっていることを応援してあげて、それを通じて世の中を見る。たとえば読み書きが嫌いで苦手だったらChatGPTを使ってもいいと思っています。いまはいろいろなツールがあるので、自分の障がいを補うことができます。

ＡＩにできることはＡＩにやらせたほうがいい

　無理やりできないことばかりやらせるのは、僕の個人的な経験から言っても望ましくないと思いますが、なかなかにポリティカルな問題を含んでいることでもあります。「これくらいできないといけない」と思う人も多いですから。たとえば、小学生なら手計算で足し算や掛け算を覚えますが、大人になったらほとんどの人が電卓で済ませます。あるいはコンピュータにスマートフォンだってあるわけです。ならば、電卓がある前提で、ほかにできる方法を学ぶべきだと思います。ＡＩも、ＡＩがある前提で考えて、ＡＩができることを手動でできるように一生懸命に覚える必要はないと思っています。もちろん、やりたい人はやればいいんですが……。道具がいろいろ出てきている中、その道具を使わずにできるように教えることは必ずしも必要ではないと思います。むしろ、道具がある前提でならば、よりバーを上げて高いところまで辿《たど》り着《つ》けるかもしれません。

そして、障がいのある人たちが、そうした道具に補われることで、自分が力を注げるところをもっと活かせるようになるのはすごく重要です。ノーベル賞学者の研究をしている先生によると、「イノベーションを起こす人たちは、自分の親じゃない人が背中を押してくれる」そうです。「これっておもしろいよ」と刺激してあげると、その子は「ハマってもいいんだ」と思って自分の道を走るんです。先ほど例に挙げた、テンプル・グランディンの場合は、化学の先生が押してあげた結果Ph．D（博士号）まで行ったわけです。そうしたメンターはすごく重要です。「クリエイティブ・コンフィデンス（自分の創造力に自信を持つこと）」という言葉がありますが、子供たちがクリエイティブであり続けるための応援が必要です。いまの教育システムは、日本に限った話ではないと思いますが、子供たちのクリエイティブ・コンフィデンスを削っているように感じています。

学校の弱点はコーチと審判が同じであること

もうひとつ学校の弱点があります。スポーツの場合、コーチは選手の味方です。ジャッジをするのは審判です。学校はジャッジする人とコーチする人が同じなんです。

そうすると子供を完全にサポートできません。「やっぱりおまえはダメだな」と×をつける人が、あるときだけ応援してくれる人になる。僕は、もう少し先生はコーチに回るべきだと思います。やり過ぎると「ゆとり教育」になってしまいますが、そういう意図はありません。プッシュ（刺激）することは必要ですが、コンフィデンスを折らないでプッシュするのが重要です。先生がコーチだと、子供を応援し、その子の特徴を見たりして、「ここにつながってみたらどう？」とか、「こうやってみたらどう？」というアドバイス役に徹することができる。先生だけではなく、親やメンターもやるべきですが、その子の特徴と強みを活かしながら、障がいや弱みを、いろいろなツールや人を使って補っていく「パーソナライズ教育」が求められていくと思うのです。

以前、情報や知識はほとんど人間からしか生まれず、大学が知識の根っことして存在していました。いまや、たくさんの情報がネットにあって、知識はどこからでも得られるようになりました。そうしたことから、アメリカでは知識の学びは学校の外でできるので、大学には人脈やプロジェクトを得るために通っているというムーブメントがあります。

もうひとつのムーブメントに「フリップクラスルーム（反転授業）」があります。

これは、自宅などでeラーニングやビデオ教材などを使用して事前に学習を行い、学校での対面の授業では講義は行わずに、ディスカッションや生徒それぞれに合わせた個別フォローや弱点補完する授業形式です。まだまだ、日本では一部でしか導入されていませんが、学校という場が提供するもの、得られるものが変わってきています。

親にも意識改革が必要

ただ、残念ながら日本では現状をひっくり返す改革は起きづらいと感じています。日本人は秩序が好きなので、物事がなかなか変わっていかないからです。テクノロジーの進歩で透明性が高くなって、会社組織、学校という場所でなくてもプロジェクトや、クラブを勝手に立ち上げることができる時代です。先ほど述べたアメリカの例を見るまでもなく、以前に比べて教育業界という組織の価値、貢献度が薄くなってきているのです。にもかかわらず変わらない組織には、世の中の流れとのギャップがどんどん大きくなってきます。いまや誰でもインターネットを使えるのに、「学校では使うな」、というのはナンセンスだと、僕は思います。

学校だけでなく、親の立場でも意識の改革が必要です。これまでは、親がいい学校に入れて、大企業に就職すれば、親の責任を果たしたことになっていました。ですが、いまの日本は、リタイアしてからの夫婦ふたりの生活資金が平均的な年金以外に2000万円が必要といわれる世の中になってしまっています。これまでの、学校に入れて、会社に入れて、育てた以外に、親もリスクを取って、別の何かを与えたり、やり方を考えたりしないといけません。いままでのパターンは通用しないからです。つまり、自分の生きてきた道や、生き方を子供に教えて、そのコピー人生を作るだけではダメなのです。世の中が変わったのだから、親世代も学び直しをしなければいけません。ＭＩＴメディアラボに「ライフロング・キンダーガーテン」という研究室がありまます。大人になっても幼稚園で遊ぶように学べないかということを研究しているのですが、こうした考え方をもっと広めていかないといけません。

しまじろうとピカピカの1年生の谷

僕は日本人の学ぶ姿勢について、ひとつ疑問があります。それは、小学校に上がる前には「しまじろう」で遊びながら学んでいるのに、「ピカピカの1年生」になったとたんに教科書系の学びになってしまうことです。なぜ、遊びから先生の言うことに従うモードに変わってしまうのだろうかと。

ダイバーシティの話に戻るのですが、ハッピーに多様性を追求したほうがいいと僕は考えています。「障がい者はかわいそうだから」という気持ちで変えようとしても、エネルギーはわきません。「楽しい」、「かっこいい」、「気持ちいい」、「美しい」。そういう気持ちになることがすごく重要です。ニューロダイバーシティや教育も、楽しくなければダメだと思っています。「フロアタイム」の項でも触れましたが、いまのクリエイティブ世界の中では、「内在的な動機」が求められています。人に言われたことをきちんとこなすためには、中央集権型ヒエラルキーが効果的です。ですが、教育に関してはトップがいちばん理解していないように感じていますから、ボトムアップでやるしかない。すると「内在的動機」が必要になります。そこにクリエイティブ・コンフィデンスや、自分が好きだからやる、楽しいからやる、仲間とやる、インセンティブも必要です。そのインセンティブのゲーム性のところにはｗｅｂ３やＤＡＯといったものが有効になると思います。

メタバースは自閉症の人と相性がよい

教育にもっとテクノロジーを導入したほうがいいという主張を何度もしていますが、そこにＡＩやｗｅｂ３が絡んでくるとおもしろいというのが、僕のビジョンです。ただ、いまの教育システムにどうやって導入するかは難しい部分もあります。学校にコンピュータを導入するのも日本では10年くらいかかりましたから。これがChatGPT、ｗｅｂ３の時代になるともっと大変です。いまの教育システムの中から改革できるのか、学校の外でやったほうがいいのか、そこは思案しています。

僕は妹の瑞子《みずこ》といっしょに「つながりの学習（Connected Learning）」の活動に関わっています。これは、シナリオライティングや漫画など、子供がパワーを持って取り組める興味を、友人や大人からのサポートを受け、学校や放課後クラブなど学校の中と外とを結んだりしながら学業に結びつけ、キャリア上での成功や、市民参加につなげようという学習のことです。そこにはオンラインサロンや、ゲーミフィケーションによる学びなどテクノロジーに力を借りた形もあります。日本ではまだあまり知られていませんが、すでに10年の実績があります。そうしたものも含めて、新しい学びのムーブメントを起こしたいと思っています。

ニューロダイバーシティの研究者である池上英子《いけがみえいこ》さんは、アメリカにおいて「セカンドライフ」の中の自閉症コミュニティについて調べていました。仮想空間が自閉症の人と相性がいいのは、リアルワールドでの、「空気が読めない」とか、「体の不自由さ」という評価から自由になれるからだといいます。自閉症の人には「目線を合わせるのが苦手」という人が多いのですが、アバターに笑うというコマンドを出すと、キャラクターが笑ってくれて、表情で表すことができます。そのように、あるカテゴリーの自閉症の子にとっては、とてもいいインターフェースとして機能しています。コロナ禍のときも、会えないことで寂しい思いをした人はたくさんいると思いますが、みんながZoomに集まればインタラクションが起きやすい。これはそれぞれのプライオリティで決めればよいのですが、多様なインターフェースがあるほど、そこで救われる人が出てくるのです。メタバースオンリーというのはよくないかもしれませんが、そのほうが楽な人はそこで生きたっていいと思います。

ｗｅｂ３で標準化できない人を掬い上げる

ｗｅｂ３はこれからの技術なので、どんなツールが出てくるかわからないこともたくさんあります。ただＤＡＯやプロジェクト型の仕事で自分のアイデンティティや、自分が得意な要素だけを提供して、きちんと報酬をもらえ、責任も付与される参加の仕方を細分化したり、カスタマイズしたりできると思います。すごいプログラムが組める人でも、正社員としてみんなと大部屋に机を並べ、朝出社して何時間もじっと座っていられない人がたくさんいます。標準化されていない人でも、ちゃんと社会に貢献できる世の中になるでしょう。ですから、多様なインターフェースと多様な参加の仕方を促すツールとしてメタバースと同様にｗｅｂ３も役に立てるのではないか、というのが、僕のイメージです。

匿名でも経歴が証明できる

小中高校と普通に入学試験に受かって、みんなと同じ試験で上位の何%に入って通常の教育を受けられる人は、いまの教育システムや会社の働きのシステムで適応できます。一方で、「人とちょっと違う」、「字が読めない」、「喋《しゃべ》るのが遅い」などの子供もいて、その子たちは学びのレイヤーでも、働きのレイヤーでもメインストリームからは落ちてしまいます。そういう人たちをｗｅｂ３でピックアップ（掬い上げる）できると思っています。たとえば、学修歴証明書の発行や、トークンでお金をもらうこと、ネットワークを作って「個対個」の学びのシステム構築など、いろいろな構造も作りやすくなるでしょう。もちろんいままでのインターネットでも類似のコミュニティはありましたが、それがよりきちんとベリファイ（確認）できることで、その人の経歴の証明になります。たとえば偽名を使ってマインクラフト（子供たちに大人気のオンラインゲーム）上ですごいことをやっていたけれど、実はこの人だったということもｗｅｂ３によって簡単に証明できるようになると思います。

僕が現在所属している千葉工業大学では、学位のＮＦＴ化や、ｗｅｂ３の授業を始めるなど、先進的な取り組みをしています。千葉工大は就職率が１００％で、大学からも「何をしてもいい」とフリーハンドのお墨付きをもらっています。学術の世界でもエッジのところから新しいものが生まれてくるという傾向はあります。この大学で新しいもののインキュベーションをしたいですし、ほかの教育のレイヤーも新しいことができると思っています。

政治でも会社でも教育でも真ん中はなかなか変われません。イノベーションはエッジから始まると思っているので、教育システムのエッジのところで、新しいムーブメントが起こせればと日々考えています。

第6章 「日本人」はどう変わるべきか？

伊藤穰一は、20代のころ、日本をベースに起業家、投資家として活躍していた。しかし、日本の官僚機構や大企業とやり取りする過程で、特有の問題に悩まされていた。最大の問題は、意思決定が遅くプロセスに時間を取られること、空気に支配されること、そしてダブルスタンダードの存在だったという。彼の体験的日本人論とは？

お金持ちだけが価値が高いのではない

僕は京都に行くと必ず立ち寄る旅館があります。京都という街はとてもおもしろく、ときに「京都人」とも呼ばれるそこに住む人々が、独自の価値観で人をもてなしてくれます。

その老舗旅館で、こんな話がありました。靴箱のなかで作家の靴が上に置かれ、とある有名なビジネスマンの靴が下に置かれていたそうです。それを見たビジネスマンが「なんで俺の靴が下なのか！」と女将《おかみ》さんに怒ったそうです。それに対して、女将さんは「だってあの方は文化人ですから」と返したそうです。京都におけるヒエラルキーは、作家やお坊さんなどの文化人のほうが、政治家やビジネスマンよりも上だというわけです。

歴史ある日本料理店やフランス料理店も、社会的地位が高い、お金持ちだというだけでは予約がとれず、常連の紹介がないと入れないお店もあります。こうしたお店とお客さんのつながりはお金だけではない価値観によってつながっていることに、社会的な意味があるのです。

京都はそうした伝統が色濃く残る土地柄だと思いますが、日本の文化ではこうした価値観が続いている部分があるでしょう。僕の祖父は大阪商人で、祖母は岩手のお嬢様でしたが、祖父はお金があっても社会では高い地位を持ち得なかったところがあります。

「大きいことはいいことだ」

「More than enough is, too much」という東洋の美学があります。日本語では「大きければいいということではない」、あるいは禅語で有名な「足るを知る」と言えばいいのでしょうか。アメリカ人、特にトランプ前大統領などを見ていると、「スケール・イズ・エブリシング（規模こそすべて）」という考え方をいろいろなレベルで正義として捉えてしまっているように見えます。

第1章で述べたように、僕はそうした「大きいことはいいことだ」という意識に対して「ノー」と言いたいと思います。地球は有限ですし、世界にはいろいろと有限な設定が存在するにもかかわらず、できる限り大きくする風潮には歯止めがかかっていません。

日本はどうでしょうか。僕が聞いた話ですが、１９６０～70年代の高度成長期は、日本人にも「大きいことはいいことだ」という気持ちがあったそうです。でも、途中から日本人の大多数が自分を中流階級だと考える意識が浸透したとのことでした。その後の80年代後半のバブル期は、企業の目が不動産や投資で儲けることに集中していた事実はありますし、皆できるだけ稼ごうとしました。でも、「大きいことはいいことだ」という発想とは少し違うようにも思います。

日本に星付きレストランが多いのはなぜか？

でも、自分のまな板をキレイに使うことに集中して、お客さんへ美味しいお寿司を提供できる「いま」に満足して、店舗を増やしたくない寿司職人のような料理人もたくさんいるはずです。

東京にミシュランの星付きレストランが世界一多いのはなぜだと思いますか？　僕の仮説は、オーナーや料理人・シェフが自分のやりたいことをしていて、そもそもお客さんからなるべく大きな金額をとろうと思っていないのではないか、というものです。

お金や利益のことばかりを考えているレストランは、星をとれないと思います。やりたいことができ、それを許す環境があるからこそ、日本にこれだけミシュランの星付きレストランが多いのだと思います。星付きレストランが多いだけではありません。高級で個性的なところもあれば、安くて美味しい店もあります。両極を楽しむことができます。どちらも必要だという意識が染み付いているのかもしれません。

店がはやり規模を大きくしていくと、常連のお客さんが「そんなに店を大きくして大丈夫なのかな?」と心配するそうです。

アメリカン・ドリームへの憧れ

日本にはこうした大きくなることへの警戒感がありますが、アメリカにはそういう意識があまりありません。それはおそらく「大きいことはいいことだ」という考え方が、アメリカン・ドリームに帰結するからだと僕は思います。

アメリカでは皿洗いからミリオネア(お金持ち)になれる社会であり続けるのが当たり前です。そのために世界中からたくさんの人がアメリカン・ドリームを目指して、アメリカへやってきたという歴史があります。いまもそれが一般的な価値観として根付いています。

世界一の小売チェーン「ウォルマート」は「スケール・イズ・エブリシング」を体現するような会社であり、規模による購買力を武器に「エブリデイ・ロープライス(毎日がお買い得)」を掲げて、消費者へ大量の商品を安く届ける会社です。ウォルマートのことを「そんなに店を大きくして大丈夫か」と心配するアメリカ人はいないでしょう。

「ウォルマートはすごい」というのが一般の人の意見でしょうし、「ウォルマートの創業者になりたかった」という憧れがアメリカ人にはあります。それはマクドナルドなど世界を席巻《せっけん》したアメリカ生まれのグローバル企業の創業者や、ハリウッドでアメリカン・ドリームをつかんだ俳優・女優への憧れの視線と同じでしょう。一方で指摘しておきたいのは、アメリカは、ソーシャル・モビリティ（社会移動）が低く、貧困層も多くいるということです。夢と現実の差が激しいのがアメリカの実態でもあるのです。

このように考えてみると、やはりアメリカは、「スケール・イズ・エブリシング」という考え方から抜け出すのがむずかしいお国柄だと感じます。

「こだわり」を活かせない国民性

京都の旅館の女将やレストランの料理人のように、日本にはどこか非経済的な「こだわり」を持っている国民性があり、そうした文化を伝統的に持ってきた国だと僕は思います。

ところが、ひとたび普通のサラリーマンに目を移すと、とたんに「こだわり」が薄れます。たとえば、日本の建売住宅を見ても、デザインに対する「こだわり」はほとんど感じません。日本ほど効率を優先させて、プレハブでつくられたような家がたくさんある国は、ほかに見たことがありません。日本は経済的にも豊かな国であるはずなのに、普通の会社員になると、なぜこんなにも「こだわり」を感じることができなくなるのでしょうか。

ここには強いコントラストがあります。職人や飲食店にはすごく「こだわり」を求めるけれども、自分が生活している家や、自分が着ている洋服にはあまり「こだわり」を感じません。皆が同じような文房具を使って、同じような打ち合わせをしています。たいていの場合、普通の人は自分の生活にこだわっていないように見えます。

社会のある一部のカテゴリーの人はこだわりをもって生活をしていますが、普通の人が生活のなかで「イノベーションを起こそう」「変えていこう」と意欲を持たないのは残念です。

教育も会社も硬直化したシステムで運営されているため、そう簡単には壊れません。いま必要なのは生活への強い「こだわり」です。第1章でも最後に〈センシビリティ〉が必要だ、と訴えました。これは日本語では「肌感覚」という言葉に近いものです。AIやロボットが登場するポスト資本主義の時代には、日常の生活から得る「肌感覚」がとても大事になってきます。

日本人の壊れたロジック

日本人は、生活のなかだけではなく、経済活動のなかでも「イノベーションを起こそう」「変えていこう」という意欲が薄いように思います。

かつて僕がポータルサイトの「インフォシーク（Infoseek）」の取締役会長をやっていたときのことです。当時はまだインターネットも黎明期だったため、そもそもインターネットを知らない人たちに理解してもらうのがとても大変でした。

ある時期に、風営法（風俗営業等の規制及び業務の適正化等に関する法律）の一部が改正され、ポルノを取り締まる法律が厳しくなりました。

当時、「エフエルマスク（FLMASK）」という主にモザイク処理を行う編集ソフトウエアが存在していました。そのソフトウエアで、ある特定のパスワードを打ち込むと、ポルノ写真のモザイクが消せるという機能を使ったウェブサイトが流行したのです。

この「エフエルマスク」のウェブサイトには、エフエルマスクを使ったポルノ写真を掲載したウェブサイトへの「リンク集」がありました。ちょうどポルノを取り締まる法律が厳しくなったタイミングでもあり、それがわいせつ画像を頒布《はんぷ》しているのと同じではないか、と警察から指摘を受けました。エフエルマスク側では、リンク自体は幇助《ほうじょ》にあたらないと主張していましたが、結局、有罪の判決が下りました。

インフォシークは検索エンジンがありましたので、「リンクだけで罪になるのはおかしい」「検索からリンクしていることと、ポルノは関係ありません」と抗議して、ひとつひとつ丁寧に説明しましたが、あれこれと難癖をつけて強引に「わいせつ画像の頒布だ」と解釈しようとするのです。僕はもうあきれるしかありませんでした。

このエピソードを僕の単なる「恨み言」と捉えるかは人それぞれだと思います。ただ、日本はどこか壊れたロジックがはびこっていると思いました。社会のどこかに暗黙のルールがあって、そのひ孫ルールまでが存在するような世界です。ロジカルな議論に対してはネガティブにしか対応できない。それが僕には不思議なのです。

プロセスに時間をかけすぎる日本人

もっとわからないのは、なぜ日本ではプロセスにこんなに時間をかけるのか、ということです。誰が責任を持って動かすかについて、はっきりと決めずに物事が進みます。目的がわからない打ち合わせも多いと思いますし、やたら細かいところだけにこだわります。

僕は官公庁をはじめ、たくさんの日本企業といっしょに仕事をしてきましたが、先日もいっしょに食事をしているときの雑談の9割が組織内の話でした。自分の組織のやりくりが、彼らにとっては重要なのでしょう。

日本は全体的なシステムとして見ても、内部のプロセスに時間がかかりすぎです。ある日本の大企業の知り合いは、スケジュールはすべて定例会議で埋まっており、ほかのスケジュールがまったく入れられないそうです。いろいろなプロセスにエネルギーを吸い取られてしまうむなしさについては、繰り返し強調しておきたいと思います。

日本のなかでしか意味のないところに、エネルギーの大半を使っています。僕は、それを変えなければいけないと考えています。時間のムダだからダメというわけではありませんが、ムダなものはムダです。

イノベーションよりもプロセスが大事

僕は若いころ、レスリングと並行して柔道をやっていました。日本人はプロセスを重視するものなのだと、レスリングと柔道を比べたときに感じました。

レスリングは新しい技を考案することができます。一生懸命練習していると、イノベーションが起こります。だからおもしろいと思っていました。

また、僕はレスリングのおかげで、柔道でも寝技と絞め技が強い選手でした。でも、府中《ふちゅう》刑務所で行われた初段の柔道大会に出たときに、ひどく怒られたことがあります。後ろに回って倒して絞めたら、ダメだと言われました。最初は正面から攻めて、ダメなら後ろに回ってもいいけれど、最初から後ろに回るのはダメだそうです。そんなルールは聞いたことがありませんでしたが、「それが武士道なんだ」と言われました。

ほかにも、寝技に持ち込んだら「立て」と言われたこともありました。そして、僕がオリジナルでつくった技を出したら、「新しい技をつくるなんて10年早い！」とまで言われてしまいました。そもそも、それは「型」にはないそうです。

柔道は現在、「一本」か「技あり」のいずれかで勝敗を決めるのがルールです。そうしたファースト・プリンシプル（1番目の原則）があるにもかかわらず、それは明快ではありません。結果やイノベーションは関係なく、重要なポイントが「プロセス」だというのは、当時の僕の理解を超えていました。

そもそも「型」とは何でしょうか。日本人以外には、理解しづらい言葉です。「型」というしきたりが外側に存在するのがとても不思議です。

いまとなれば「武士道」や伝統は日本のいいところだと理解できますが、当時、高校生だった僕にとっては正直よくわかりませんでした。ただ、自分の日本での経験として、あるとき突然に「日本の美学」といわれるものを持ち出して、アンロジカル（非論理的）に説得しようとした大人たちが少なからずいたことは事実です。

社会のシステムにフレキシビリティがない

僕がアメリカの美点と思うひとつの理由は、議論をして皆がそうだと思ったら変えることができるという点があります。アメリカにも問題はたくさんあると思いますが、その点はフェアな国だと思います。その逆に、日本は皆が変えるべきだと思っているのに、やっぱり変えられないと、プロセスにやや固執してしまっているように見えます。

3・11の東日本大震災から立ち直る日本人の姿を見れば、日本人が心のレジリエンス（回復力）を持っていることはよくわかります。しかし、社会のシステムにはレジリエンスやフレキシビリティ（柔軟性）があまりないような気がしています。

情報技術の進化、特にインターネット登場以後の現在は、変化の激しい時代です。本書の前半でも仮想通貨やブロックチェーンといった新たに登場した技術について触れましたが、変化のスピードは日進月歩です。

近代化をふり返ってみると、明治維新があり、戦後があり、日本は大きく変化してきました。それが70年から80年のサイクルで起きたと考えると、いまが大きく変わるタイミングです。

2011年の3・11の東日本大震災では、ある意味において戦後つくられたさまざまな社会のシステムの欠陥が露呈しました。言葉を選ばずに言えば、大きく変わるきっかけと捉えることもできたはずです。しかし、結局は自然災害だから仕方ないことだったというところに落ち着いたように思えます。

繰り返しになりますが、日本人が持つ心のレジリエンスはすばらしい。でも、社会のシステムにおいては、きちんと立て直すべきタイミングが訪れているのではないでしょうか。

「空気」がムーブメントをつくる

では、どうやって社会のシステムを変えていけばいいのか。僕らは「文化」や「ムーブメント」だと考えていますが、今回、本をつくるにあたっていろんな人と話したときに、おもしろいことを言っている人がいました。日本人が何かの行動を起こすきっかけとして、大事なのは「空気」だというのです。右とか左とか、あるいは効率がいいとか儲かるとか、日本人にとってそういったことはあまり重要ではなく、「空気」にどうやって火をつけるかが重要なのだとその人は言っていました。

「空気」ができていないと何も起こらないけど、ある日、突然皆がテレパシーで伝わったかのように「空気が変わったよね」と感じて、急に「やろう！」という話になるというのです。コミュニティはどういう「空気」で動いているのか。どうやったら

「空気」を変えることができるのか。とてもおもしろいテーマだと思います。

僕も「空気」を感じるための感受性を高めたいと思いますし、そのメカニズムをとても知りたいと思いました。なぜなら、ムーブメントは「波」がたいせつだからです。「波」は人と人が意見をぶつけたり、つながったり、メッセージを出していくことで変わっていくものです。いろいろな「波」が集まって、初めて「ムーブメント」が生まれます。

日本では、「波」ではなく「空気」を変えるのがたいせつなのだと僕は思いました。では、いったい誰が空気を変えるのか。そもそも「空気」とはいったい何か。そこを突き詰めていくことは重要だと思います。

インターネットという「場」

特に、インターネットの空間における国民性の違いを理解するのは大事だと思います。日本のインターネットの「空気」は、やはりアメリカのそれとは違います。その違いを言語化するのがまず必要だと思います。国によって違うという認識は持つべきです。

日本における「空気」の話を聞いて、思い出したのが「電子フロンティア財団」を創設し、2018年2月に亡くなったジョン・ペリー・バーロウが「サイバースペース独立宣言」のなかで書いていたことです。「私はサイバースペースという心の新しい住処《すみか》から来た」と言っています。つまりインターネットは「場」だと言っているのです。

しかしながら、インターネット黎明期といまでは、インターネットが「場」である、という意味が変わってしまいました。昔はかなり楽観的に「場」を捉えていて、ポジティブな活動の「場」という意味合いが強かったように思います。

しかし、いまの若い人たちにとってはインターネットが場であることは当たり前ですが、むしろその「場」が熱狂的なトランプ支持者など、ネガティブな活動の「場」としても使われているのが現状です。支持者同士は、たとえ物理的につながっていなくても、ネット上ではかんたんにつながれてしまうため、カタマリとなって大きな声となりやすいのです。

特にいまのインターネットは、ネガティブなもののほうがつながりやすいという側面があります。たとえば、トランプ支持者についていえば、アンチを生み出すことで破壊的になり、かついろいろなものがシンプルにされるため、ある種のパワーをつくりやすいのです。「アラブの春」もそうでしたが、ひっくり返すのはかんたんでも、一度壊れたものを立て直すのは非常にむずかしいものです。

このように考えてみると、トランプ陣営は「ネガティブなものはつながりやすい」という側面をうまく利用しているともいえます。こういったパワーをいかにポジティブに変えていくかが、僕たちにとっての課題です。

怒りのパワーをポジティブに変える

怒りのパワーをどちらかといえばポジティブな方向に活用したのが、2017年にX（旧ツイッター）などSNSで投稿された「#MeToo《ミートゥー》」のハッシュタグです。「私も」という意味ですが、セクシャルハラスメントを受けた人がSNSで被害体験を告白するときに「#MeToo」というタグを付けて投稿することで、多くの人がこれに呼応して世界的な告発運動へと展開しました。

一般的に怒りを起点とするムーブメントでは、感情的になりすぎて暴力的になりがちです。しっかりと気をつけて見極める必要があります。

いずれにせよ、「#MeToo」はメディアの使い方、ハッシュタグの使い方、感情の表現など、怒りをポジティブな武器として活用することのたいせつさに気づかされるムーブメントです。好き嫌いや善悪は別にしても、僕たちはトランプのやり方からであっても、いくらでも学ぶことができるのです。

身体拡張をめぐる日本とアメリカの違い

日本とアメリカで、「空気」と「場」の持つニュアンスの違いがあるように、背景にある文化的なバックグラウンドによって、インターネットやテクノロジーをどのように使えるかは変わるものです。

たとえば、日本は高齢者が多い国として知られています。そのため、高齢者の弱った身体を支える技術が進んでいるようです。筑波大学発のベンチャー企業「サイバーダイン」はパワードスーツをつくっています。日本はこうした身体を拡張するような技術革新に向いているのではないかと思います。

東京大学の暦本純一《れきもとじゅんいち》先生は、第４章で触れたような「人間拡張」の話をされる際に、石《いし》ノ森章太郎《もりしょうたろう》のＳＦ漫画『サイボーグ００９』を例にしていました。フィクションではありますが、こうした漫画がかつて大きな人気を得て、いまだに人々の記憶にあるということは、そもそも日本人は身体を拡張するのが好きなのではないかと思います。そもそもテクノロジーを楽しんでしまうところがあるのが日本人です。

一方で、アメリカは身体を拡張するというよりも、不滅の肉体を持ちたい、という方向に向いていているのではないかと感じます。日本がファンタジー寄りならば、アメリカやシリコンバレーはシリアス寄りです。アメリカ人は単に自分が神様になりたがっているのかもしれません。一方で日本人はマジメに身体拡張を追究しているように見えます。

八百万の神と唯一神

身体拡張から、さらにロボットにおける日米の比較もとてもおもしろいものがあります。ある日本人にいわせると、日本に八百万《やおよろず》の神がいてどこにでも神が存在するように、ソフトバンクのペッパーだろうがケロヨンだろうが何でもつくってしまいます。手塚治虫《てづかおさむ》の『鉄腕アトム』もありますし、もともとロボットというテクノロジーに対する違和感がありません。あちこちに神がいる世界に生きていることが前提であり、ロボットと友だちになりたいという人も多いのです。

一方で、キリスト教は唯一神であり、神が万物の創造主という教えですから、人間がつくった「生き物」であるロボットは、本来は相容《あいい》れないものです。いわば人間が神様になってはいけないという思想です。

ロボットやアンドロイドに関しては、欧米でもいろいろな研究があります。たとえば、あるアメリカの大学に対話型ロボットを持ち込んで、キリスト教原理主義者の学生たちに「ロボットと話してください」とお願いするテストをした研究があります。結果は想像のとおりで、彼らはロボットに対して違和感を持ってしまい、あまり話さなかったそうです。

日本人には、そうした発想はほとんどありません。進化のなかで生まれた新たな生き物であり、新しい生態系ができただけだと捉えます。単に「おもしろいものができたな」というだけで、あまり考えずに流れのなかで受け入れる感じはします。

AIロボットの倫理

ただ、そこにはひとつ考えるべき問題があります。日本人は、ロボットと友だちになることはあっても、ロボットの奴隷になるストーリーをあまりイメージしません。

日本人にはなかなか理解しづらいかもしれませんが、西洋の歴史は、奴隷の存在なしでは語れない部分があります。人種差別はそもそも奴隷から派生している問題ともいえます。ある意味で、白人は奴隷となったロボットたちが「革命」を起こすのではないかという恐怖をどこかで持っているのかもしれません。

これは第1章の「シンギュラリティ」の話ともつながってきますが、コンピュータが人間をはるかに超えて無限に賢くなったとき、人間がロボットやAIの奴隷にされる可能性もあるわけです。万能のAIを搭載したロボットができたとき、人間がはたして必要なのか。キリスト教中心のアメリカ人からすれば、つまり、それは新たな神様が誕生することに近いのです。ポスト西洋的な流れではありますが、万能のAIロボットを「最後の審判」だとして不幸になると思っている人と、それを歓迎して「世界が天国になる」と思っている人と、両方の意見があります。

日本には「人対神」という視点もないですし、「誰がAIやロボットを支配するのか?」という倫理が欠けています。日本がこうしたテクノロジーの流れに対して、どのように関わっていくことができるのかが、いま問われています。

〈文庫版のためのアップデート〉

新書版から5年の月日が経ちましたが、日本のシステムの大部分は依然として変わらないという認識を持っています。ただ、日本に戻り日々の生活をしているうちに、新たな考えも頭に浮かんできました。そのきっかけのひとつに、「茶道」を始めたことがあります。デジタルガレージの共同創業者である林《はやし》郁《かおる》さんといっしょに最近始めました。お稽古をするごとに、茶会を開くごとに多くの学びがあります。また、お茶をやることで自分の姿勢、歩き方、片付け方などが少しずつ変わっていくのがわかります。

第1章で「スケール・イズ・エブリシング」の話をしましたが、いまの西洋的資本主義のシステムでは大きく発展（グロース）することが正義です。大きくならないベンチャーはつまらないという風潮があります。

一方で、日本は発展することに重きを置いていないように感じます。「茶道」も、「伊勢神宮《いせじんぐう》の式年遷宮《しきねんせんぐう》」も、「18代続くすっぽん屋さん」でも、規模を大きくしようとしていません。それぞれが課したルールにのっとって、クリエイティビティや表現を大きく変えてきませんでした。それでも、活力が失われることなく元気なままに見えます。僕は、この拡大なき生きがいこそがサステナビリティの鍵だと思うのです。

始めたばかりで、僕もまだまだ勉強している最中ですが、日本人の美学は「茶道」に象徴されることがあるように思います。たとえば、有名な「一期一会」の精神についてこんな話を聞きました。「毎回違う道具を使うことで一期一会を作ろうとした」弟子に対して、千利休《せんのりきゅう》は「同じ道具を使ってまったく違う体験をもたらせ」というニュアンスの言葉で諭しました。それまでの「茶の湯」は唐物の高価な道具をたくさん所有し、それを見せびらかすことで権力を誇示していました。手に入りにくいもの、珍しいものを持つことがひとつのステータスになっていたのです。しかし、千利休は、いま、ここにある平凡な材料を使った、日本でプロデュースされた道具に重きを置きました。利休はまさに、足るを知るという茶道の精神の真髄を伝えたかったのではないでしょうか。

これも、たくさん持っている人が「勝ち」という西洋的な考え方とは逆です。たくさん持とう、作ろうとすると最終的には環境破壊につながりますから。

拡大せずに維持する「美学」を貫ける日本人は、サステナビリティの観点においても、世界に何らかのメッセージを発信できるのではないでしょうか。

第7章 「日本」はムーブメントを起こせるのか？

新型コロナウイルスの感染拡大によって、東京オリンピック・パラリンピックは1年延期かつ無観客での開催となり、期待していた新たなムーブメントは起こらなかった。この章は、オリンピック開催前に提言されたものだが、いまなお日本人へのメッセージとして古びていない。

オリンピックが起こしてきたムーブメント

近代オリンピックは、つねに新しいムーブメントを生み出してきました。たとえば、１９６４年の東京オリンピックにおいては、世界的な建築家の丹下《たんげ》健三《けんぞう》氏が国立代々木競技場の設計を手がけ、それが日本の建築において、ある種モダンな時代の始まりの宣言となり、その後の日本人建築家にとっての大きなインスピレーションにもなりました。

しかしながら、新型コロナウイルスの影響で2021年に延期された東京オリンピックはどうだったでしょうか。国民の「空気」を読みながら、ある意味で官僚や政治家たちの効率の悪い、複雑なプロセスのなかで、夢のあるビジョンもないまま、無観客で行われたこともあり、残念ながら、期待していたムーブメントは起きませんでした。

1964年の東京オリンピックを「こうだったよね」「こんな意味があったね」とふり返ることができるのに対して、2050年になって2021年の東京オリンピックをふり返ったとき「日本人が世界に向かって何かを表現できるチャンスだったのに、結局は何もしなかったよね」「もったいなかったね」となってしまうのはとても残念なことです。僕も歳《とし》をとったのかもしれませんが、歴史をふり返ったときに未来の自分や子供たちが、どう思うかという視点も持つようになりました。

パラリンピックのイメージを変える

第4章で「人間拡張」について述べましたが、新たなテクノロジーの登場で、パラリンピックが従来のオリンピックよりおもしろいものになってくる可能性が見えてきました。

障がい者の方々はそれぞれ障がいのレベルが違うので一概にいえないところはありますが、「障がい者のためのスポーツ競技会」という従来の常識をくつがえすような試みを行うには、非常にいいタイミングのように思います。

まさに第4章で紹介したアーティストのヴィクトリア・モデスタが、自らのパフォーマンスで義足のイメージを変えたように、世界中の注目が集まる2021年のパラリンピックでは大きな可能性を示すことができたと思います。

日本の文化は誰がつくるのか

これは知人から聞いた話ですが、1964年の東京オリンピックの当時は、一部の文化人が開催に反対をしていたそうです。

でも、作家の三島由紀夫は、開会式を見て、「オリンピック反対論者の主張にも理はあるが、今日の快晴の開会式を見て、私の感じた率直なところは、『やつぱりこれをやつてよかつた。これをやらなかつたら日本人は病気になる』といふことだつた。

思ひつめ、はりつめて、長年これを一つのシコリにして心にかかへ、つひに赤心は天をも動かし、昨日までの雨天にかはる絶好の秋日和に開会式がひらかれる。これでやうやく日本人の胸のうちから、オリンピックといふ長年鬱積してゐた観念が、みごとに解放された」（三島由紀夫『決定版　三島由紀夫全集　第33巻』新潮社、２００３年）と書いています。

おそらく、価値観が転換する瞬間というのは、こういうものなのだろうと思います。伝え聞いたことを知るのと、実際に目の前で見ることは違います。心が動くのは、やはり目の当たりにすることの驚きにあるのだと思います。

三島由紀夫のような文化人がこうしたことを書き残しているということは、おそらく日本人の意識にも大きな変化があったのだろうと想像しました。

アフターオリンピックの課題

オリンピック、パラリンピックもそうですが、開催後の「アフターオリンピック」をどうするかも大きな課題です。２０１１年の東日本大震災以降に日本が方向を見いだせなくなっていた時期に、タイミングを合わせたかのように登場したのが２０２０

年の東京オリンピック開催でした。

さまざまな経済活動が2020年に向かって動いていました。わかりやすいところでいえば、東京の湾岸エリアなど周辺で行われている再開発でした。オリンピック特需も生まれていました。

単に建物を新しくするきっかけができたというだけでは、意味がありません。やはり、次に登場する「文化」や「ムーブメント」の新しい芽を探さなければなりません。

たとえば、ハーバード大学の心理学教授だったリチャード・アルパートは、1960年代後半にインドで東洋的な思想や文化に出会い、ヒッピーカルチャーの洗礼を受けました。その後、大学をドロップアウト（脱落）してインドでババ（聖者）となり、ラム・ダスと名前を変え、僕の師匠であるティモシー・リアリーといっしょに「サイケデリック（LSDなどの幻覚剤によってもたらされる心理的感覚やさまざまな幻覚）」の研究をしました。異なる文化と混ざり合うことで、新しいムーブメントが生まれたのです。

ヒッピーカルチャーは、ビートルズから来たポピュラー音楽、グレイトフル・デッドの音楽、ドラッグの影響などがぶつかり合いながら進化しました。『ホール・アース・レヴュー（Whole Earth Review）』がウエストコーストで生まれて、さらにベトナム反戦運動とか、いろいろな背景がありました。そして「ラブ&ピース」という標語もありました。すべてが混ざり合って大きな流れをつくりだしたのです。

同じように、僕もアメリカにある芽を日本にいる人たちとつなぐことで、ムーブメントの芽となる新たな何かを生み出して、アフターオリンピックをどうにかしたいという気持ちを持っています。

「ニュートーキョー」は過激さから生まれる

どのようにして「東京」を批評的に捉えて「ニュートーキョー」をつくるか、という視点は欠かせません。

意外にも、そうしたラジカルさ（過激さ）は、社会や政治のシステムが硬直化していたり、あるレイヤー（階層）が厚く硬くおおわれていたりするからこそ表出するものです。たいていの場合、社会がよくないときにアートはよくなります。音楽もしかりです。

アメリカでも、ハウスやアンダーグラウンドミュージックが出現したのは、上のレイヤーが硬い都市であるデトロイトやシカゴなのです。リベラルな都市のサンフランシスコでは生まれません。

たとえば、アメリカの名門カリフォルニア大学ロサンゼルス校（UCLA）で教授を務めた医学者の黒川清《くろかわきよし》氏は、キャリアこそ王道ですが、非常にラジカルです。福島第一原発事故の国会事故調委員長を務めた黒川氏は、原発事故を「エリートたちによる人災」と指摘して、日本でも物議を醸しました。アメリカで国家権力に近い立場の人間は、あそこまで激しい発言をすることができません。日本のインテリ層にはこうしたラジカルな人がいるからおもしろいと思います。

現代美術家の会田誠《あいだまこと》氏も、欧米ではなかなかできない作品を描いていて、ラジカルです。僕といっしょに番組をやったこともあるスプツニ子！もおもしろいと思います。

問題は、こうしたラジカルさを持つ人たちと、どのようにしてニュートーキョーをつくり、ムーブメントをつくっていくかです。ヒッピーカルチャーがそうであったように、もっともっとかき混ぜなければいけないと僕は思います。

混ぜ合わせる「候補」と「時間軸」

いままでは、日本を立て直すときにはハードとしての「モノ」が必要でした。それゆえに、経済的に力がある都市でムーブメントを起こすことが多かったと思います。たとえば、森ビルとメタボリストの建築家がいっしょに考えるなどがひとつのパターンです。しかし、これからの時代、ソフトの価値、ソフトのパワーを使う必要があると思います。どんな人たちが集まり、どんな人がリーダーシップをとって、ムーブメントを起こすのか。想像するだけでおもしろいのではないでしょうか。

ムーブメントが起きた結果、人々のマインドセットが変わることが重要です。テクノロジーの進歩や、新しい技術を安易に取り入れるよりも、マインドセットが先に変わらないことには、変なつなぎこみをしてしまう可能性があるからです。ですから、マインドセットを先に変えることが何より大事だと思います。

次のトレンドに必要なコミュニケーションのベクトルが何なのか、アートのレイヤーはどうなったほうがいいのかなど、いまは僕もＳＮＳを含めてメディアで起きているトレンドを見ている段階です。なるべくたくさんの人がつながるように紹介したり、カンファレンスなど公の場で自分が発言したりしています。

第4章で紹介したインディジネス・ピープル（先住民）などは、混ぜ合わせるための「候補」のようなものです。必ずしも出てくるかはわかりませんし、どんな影響をもたらすかはわかりません。そこはリベラルにデザインしていかないと仕方がない部分でしょう。

こうしたムーブメントの候補を考えるのに、僕は「時間軸」を問うようにしています。たとえば、ネイティブ・アメリカンは7世代単位で物事を考えるそうです。江戸っ子になるには3世代必要だと聞いたことがありますが、そうすると100年くらいの単位になるでしょうか。文化やムーブメントを考えるというのは、それくらいの時間軸で考えるものです。

日本が忘れている「よさ」を思い出す

長い時間軸で考えることに関係しますが、日本は、戦後の社会をとにかく復興させようとするあまり、自分たちのよさをどこかに忘れてきてしまったのではないかと思うことがあります。日本人はもう一度、古くから独自に持っていた視点を見つめ直す作業が必要ではないでしょうか。

日本の歴史をふり返ったとき、「神道」は〈人間と自然〉の関係性を、西洋とはまるで違う考え方で捉えており、ユニークなものの見方に思えます。あらゆるものに魂が宿るとする、ある意味でアニミズム的な宗教観が現代にも通じているのは、世界的に見てもめずらしいものではないかと思います。

特に、20年に1度、新殿を造営して旧殿の神体を移す伊勢神宮の「式年遷宮」の仕組みは独特です。環境考古学者の安田《やすだ》喜憲《よしのり》氏は、著書で「20年というのは1世代である。おじいさんが式年遷宮をやれば、次の式年遷宮は子供が、そしてその次の式年遷宮は孫がという風に、1世代ごとに式年遷宮を行う。この美しい地球で1300年もの間、代々遷宮を行えるということは、なんとゆう喜びなのか」（『環境考古学への道』ミネルヴァ書房、2013年）と書いています。日本が持っていた「時間軸」を、自分たちで再発見することが必要なのではないでしょうか。

また、日本は島国であり国土も狭く、限られた自然資源をうまく使って発展してきた国です。現在、地球規模で起こりつつある環境問題を考えたとき、日本人がそもそも持っていた〈センシビリティ〉や生き方、美学といったものがひとつのお手本となるはずです。日本人の〈センシビリティ〉を世界へ発信することで、新たなムーブメントが広がるきっかけになるはずだと僕は考えています。

パラダイムシフトは文化から生まれる

シカゴ大学のアンドレー・ウールは、バウハウスが起こした社会的なムーブメントの研究をしています。彼が学んでいたハーバード大学には、アメリカ唯一のバウハウス建築が残されていて、そこが研究室になっています。

バウハウスは20世紀初頭のドイツで起こった、アートとサイエンスとデザインを混ぜたムーブメントでしたが、いろんな専門家が集まって、倫理学の観点でいまの時代はどういう時代なのか、時代に対する肌感覚（センシビリティ）を基にさまざまな建築やプロダクトを生み出しました。彼の研究テーマは、１００年前のバウハウスムーブメントと現在の違いは何か、です。いまムーブメントをつくるとしたら、どういうものになるかを考えています。

おおよそ、１００年単位のパラダイムシフトは文化から生まれます。アート、ファッション、音楽が重要な責任を持っているということです。当時にはなかった専門分野が生まれてきているなかで、どういう形でそれを花開かせるかいうことでもあります。

たとえば、バイオエンジニアリングは、21世紀になって生まれたものです。20世紀後半のサイバネティクスの時代でも、その言葉を提唱したノーバート・ウィーナー、文化人類学者で、精神科医のグレゴリー・ベイトソン、建築・思想・デザインなどさまざまな分野で活躍し、「宇宙船地球号」という言葉を生み出したバックミンスター・フラーといった、いろいろな分野におけるオピニオンリーダーがいました。そうした人たちが集まって、建築や経済の新しい考え方を広げていったのがひとつのパターンとしてあります。

先見の明がある人それぞれで、スタイルの違いは現れると思います。ググッと自然に戻る人もいれば、自然と科学を融合させる人も出てくるでしょう。これからのビジョンがいろいろな形で出現するでしょう。

いまの時代のアートで展開したら、デザインで表現するならどうなるのか。バウハウスは歴史的に成功したムーブメントですが、それはそのまま現代には活かせないと思います。新しいアートやモノが生まれていますが、それを専門家と話しながら見つけていこうとしています。

根源的な部分を考え直す時期

パラダイムシフトをどのように感じ取るかは、ひとつの「時代」の見方でもあります。以前、オライリーメディアの創設者であり、フリーソフトウエアと、オープンソース運動のリーダーでもある、ティム・オライリーと対談をしました。テーマは「いまの時代にテクノロジーを楽観的に見通す本を出すことの意味」です。

そこで2人が出した見解は、次のようなことでした。35年前にメディアラボができて、「TED（世界中の先端のアイデアをプレゼンテーションするカンファレンス）」もできて、皆はテクノロジーに楽観的でしたが、世界はより複雑になっていること。そして人々は権威に懐疑的になってきていること。そのときに求められる視点である「私たち」とはいったい誰なのかを問わなければならないこと。株主に還元することを最大の目的とする資本主義的な企業から、次に進むべき段階に来たのだということ。そして、いまのシリコンバレーが、かつてのウォール・ストリートのように見え、金融主義に汚染されていることも確認しました。シリコンバレーだけでイノベーションが起きているわけではないので、まだレーダーの網にかかっていないものを見つけることの重要性についても、話しました。これはつまり、もう少し根源的な部分を考え直す段階に来たということを表していると思います。

『ホール・アース・カタログ』の発行人で、アメリカを代表する環境運動家でもあるスチュアート・ブランドがムーブメントについて以下のような比喩を使っています。

〈海の波〉が起きるとき、シンクロしていない小さな波がつながることで、シンクロナイズドして、そして大きな波になるのです。

それと似たような事柄や、人々の気持ちがいろいろなところで起きていて、何となくシンクロナイズドせずに、摩擦しながら動いているのが現在だと思っています。

抗議もファッションなら楽しい

スチュアート・ブランドがヒッピーカルチャーのムーブメントを引っ張っていた当時、彼はまだ若手でした。同じように、日本の若い人のなかから、文化や人やソフトなどあらゆるものをかき混ぜる役が出てくるといいと思います。そういった人が出てくるまでは、僕がやるしかないと思っています。

視点としておもしろいことがあります。スチュアート・ブランドのヒッピームーブメント当時の日記を読むと、最初はドラッグと女の子のことしか書かれていません。若者の怒りがあってパンクは始まりましたが、パンクのパーティに出た人は、たぶん皆が楽しんでいたと思います。

ヒッピーが行進しているときも、ムーブメントの源泉は「怒り」でできているけれども、指導的立場だったスチュアートでさえ、最初は女の子とドラッグのために「プロテスト（抗議デモ）」に行っていたのです。「プロテスト」は楽しいとイコールで、ムーブメントも楽しかったはずです。若い人たちは、コアなファッションとして行進しているときは楽しいものなのです。

日本人はクールすぎるところがあります。ある人が言っていましたが、学生運動はあの「熱さ」がカッコ悪いという反応が当時あったそうです。僕らの時代のちょっと前の世代に当たる「新人類」は、クールな方向に寄ってしまいました。

いまの若者も、何となくの雰囲気としては「熱いのはダサい」と思っているでしょう。しかし、一部は熱くなってきているように思います。「表現」の仕方は上手にやらないとカッコ悪いのですが、そろそろ機は熟しており、熱くなってもいい雰囲気が出てきている気がします。

イギリスのパンクに学べること

１９７０年代中盤以降に生まれたパンクのムーブメントをヒッピームーブメントと比較しながら見てみるといいと思います。厳密にはちょっと違う部分もあるでしょうが、イギリスと日本は似ているところもあります。パンクムーブメントが起こった当時のイギリスは「ノーフューチャー・ジェネレーション（未来のない世代）」といわれるくらい、経済的にも破綻していました。その意味では、日本のシステムが壊れていると感じながら生きる、いまの若い人たちと共通するものがあるように僕には思えます。

おもしろかったのはマルコム・マクラーレンとヴィヴィアン・ウエストウッドという2人のデザイナーが、セックス・ピストルズのようなボロボロなパンクバンドに、ファッション性をつけ加えてコマーシャルな存在にすることで、トレンドとして盛り上げていたところです。パンクはもともとコマーシャルっぽいところがありましたが、若者のムーブメントに指揮者となるデザイナーがいて、大人が入ることで大きく動いたところはおもしろい点でしょう。

ヒッピーカルチャーも、『ホール・アース・レヴュー』や『ホール・アース・カタログ』という雑誌の力がありました。こうしたメディアの力を使って、大きなムーブメントに仕立てていたところはあります。

ハッピーな運動が必要

デジタル関連の例でいうと「デジタル・ライツ・マネジメント（DRM、デジタル著作権管理）」がウェブに入ることを知った人たちが、それを主導したマイクロソフト社に対して「アンチDRM」の行進をしました。

参加者たちは「RM！　DRM！」と言いながら楽しそうに声を上げていました。「RM」というのが何か皆さんはわかりますか？　RMはOSの一種である「ユニックス（Unix）」のコマンドで、「削除（ReMove）」を意味します。「RM！　DRM！」という呼びかけは、プログラマー同士のコミュニティだからこそ理解できる言語です。そうしたコミュニケーションを通じて結束力が高まりますし、怒っていても、どこか楽しそうな雰囲気があります。

ムーブメントには「ハッピー」が必要です。ＤＲＭに関する実際の議論はオタクでないとわかりませんし、一般の人には専門的すぎてむずかしいと思いますが、何だか楽しそうにしているという雰囲気が皆に伝わるのです。

怒りをどう表現するのか。そこに必要なのがファッションでありデザインです。ヴィヴィアンやマルコムのようなデザイナーがワクワクするところに入っていて、それが音楽や文化と融合することで大きなムーブメントになる。そのバランスが大事です。日本の学生運動が弱ってしまったのは、熱いけれどカッコ悪く見えたことが要因のひとつかもしれません。やはりヘルメットとマスクでは、ファッションとしてはダサいですよね。

「セーフキャスト」は意義あるムーブメントだった

２０１１年の３・11東日本大震災のすぐ後に、日本中の放射能を測る「セーフキャスト（ＳＡＦＥＣＡＳＴ）」が立ち上がり、僕もそれに参加しました。自分ができることを、自分とつながりのある人の手を借りて始めたものです。結果として、僕にとっては想像以上のムーブメントを起こせたという実感を持てました。当時の気持ちを振り返ると、目的を持つことができ、結果としていきいきと実行することができたのです。自分の母国の危機に対して、チャンスを与えられたこともとてもうれしく感じました。

それをやるのが楽しいという人がどれだけいるかが重要です。おそらく、日本人は不幸に見舞われた場面では、楽しんではいけないと思う気持ちが優先するのではないかと思います。

同じ時期にNHKがテレビの震災報道をネットでライブストリームしたことがありました。今では当たり前になっていますが、当時、放送と同時に行うことは法律的にグレーであり、それだけにあれは客観的に見てもやっている人たちがいきいきとやっているように思いました。

何かが凍りついてしまったときは、指示を待つのではない。自分にも何かを解きほぐすことができる。そのことを、日本人は3・11で一度気づくことができたのだと思います。それから年月が経ち、また再び扉を閉じ始めているように感じます。何かを閉ざしたまま、ベルトコンベアに乗っていればいいのだ、という感じになっていま す。あのときの一瞬、魔法が解けたような感じを思い出して、あのときの気持ちを取り戻して新たなムーブメントをつくってほしいのです。

ムーブメントを起こそう

僕は以前、「還元に抗《あらが》う：機械との複雑な未来を設計する（Resisting Reduction：A Manifesto）」というエッセイを書きました。それはシンギュラリティが起こって人工知能が万能になったとしても、現代の私たちが抱える問題を解決するのがむずかしいということを表明したものです。

エッセイに対するレスポンスとして世界的チェリストのヨーヨー・マからも、「そのとおりだ」というコメントが来ましたし、アメリカを代表する知識人たちからも好意的なレスポンスがありました。僕の研究とは違うジャンルの人たちも同じ考えを持っていることがわかったのです。また、強く賛同の意を表明してくれた人には、シリコンバレーの中心にいる人がいました。いまの風潮に懐疑的な意見を持っていることがわかりました。

現代の問題を解決する手段として、いろんな波が起きようとしています。それをつなげていく一助にしたいというのが、本書を書くきっかけでした。皆さんには、次々と登場する新たなテクノロジーを取りまく状況について、もっと知ってほしかったのです。

僕は20代のころにシカゴや六本木で、クラブのＤＪや経営をしていました。当時はレイブ（野外での大規模な音楽イベント）の時代でしたが、音楽シーンというものが、世界中でぼんやりとシンクロしている実感も持っていました。いまはもうすこし細かいところでシンクロしています。おそらく形がだんだん具体的になってきています。

ムーブメントはひとりが引っ張って起こすのではありません。起きようとしている「兆し」に気づくことが大事です。そして、つながってない波をつなげるにはどうしたらいいか考えることがたいせつです。

みんなが使いやすい言葉を見つけ、わかりやすく抽出すること。そういう作業によってムーブメントの確率を高めることはできると思います。この本をつくっていく過程でも、先ほどのエッセイへのレスポンスも含めて、何となく皆がつながってきているような気がしていたものが、僕が思っていた以上につながっていることを実感しました。

「いま」に生きる意味を見つけよう。思い立ったら仲間たちとともに行動しよう。そんなメッセージを皆さんと共有することで、僕は新しいムーブメントを起こせるのではないかと思っています。

〈文庫版のためのアップデート〉

東京オリンピック・パラリンピックをムーブメントの芽にすることはかないませんでした。僕はいま、日本でムーブメントを起こす「芽」になるのがｗｅｂ３だと考えています。ｗｅｂ３とは、ビッグテックの中央集権的なプラットフォーマーを介さずに、個人や企業の間で分散的に情報管理していこうというムーブメントと言い換えてもいいでしょう。本書でずっと主張しているように、分散型で、独立したプロジェクトはより容易に立ち上げることができるようになっていくでしょう。

僕が日本でムーブメントを起こすための「母体」にしようと考えているのが、ポッドキャストで配信している「ＪＯＩ　ＩＴＯ　変革への道」と、そのコミュニティを展開している「変革コミュニティ（Henkaku Community）」です。ここでは、ｗｅｂ３を一般の方々にもわかりやすく解説し、また新しい技術を使ってさまざまな実験を行っています。

本文でも触れましたが、スチュアート・ブランドがムーブメントについて「〈海の波〉が起きるとき、シンクロしていない小さな波がつながることで、シンクロナイズドして、そして大きな波になるのです」と語っています。

僕は、ポッドキャスト、「変革コミュニティ」、そして、リアルな場である「Crypto CAFE & BAR」などさまざまなネットワークを通じて、それを起こそうと試みています。これらのネットワークがつながりながら徐々に参加人数を増やし、2023年の4月には東京で、海外からも含めて何千人もの人を集めるイベントを行うことができました。ひとつの大きなイベントだけでなく、そのまわりに小さなイベントがたくさんできて、web3の実現に関心を持つ人たちのムーブメントの「芽」になりつつあることを実感しています。

こうしたネットワークを通じて、これからもさまざまな提案をしていきたいと考えています。個人として参加する手段をいろいろと用意していますので、ご興味ある方は、ぜひアクセスしてみてください。

あとがき

若い人たちのなかでは、すでに小さな波が起こり始めているのかもしれません。

アメリカの人口の4分の1を占める「ミレニアルズ（Millennials）」は、2000年以降に成人となった1980〜90年代生まれの世代です。ある調査によれば、彼らの約9割は「CSR」、つまり「企業の社会的な責任」に基づいて、商品を購入します。また約7割は自身をソーシャルアクティビスト（社会的な活動家）と位置づけているそうです。アメリカでは若い人たちが変わってきています。日本はどうでしょうか。

人間はこうした変化のタイミングが訪れると、無意識に〈センシビリティ〉を変えるものだ、と最近になって思うようになりました。新たなムーブメントの芽はそこかしこに見え始めています。僕の役割は、ムーブメントをむりやりに起こすことではありません。起ころうとしているものを拾い上げて、小さな波をつなげていくことです。

本書が皆さんにとって、テクノロジーの可能性に気づき、未来に期待をふくらませるきっかけとなれば、著者としてこれほど幸せなことはありません。引き続き、僕も次の世代へつなぐ「未来」をつくるために全力を尽くしていきたいと思います。

本書を書くにあたっては、たくさんの人にお世話になりました。

森ビル株式会社の代表取締役社長である辻慎吾氏の日頃からの支援とインスピレーションに感謝するとともに、同じく森ビル株式会社の常務執行役員の小笠原正彦氏、森美術館の館長である南條史生氏にもあらためて感謝を申し上げます。また1995年からのビジネスパートナーであり、株式会社デジタルガレージの共同創業者兼グループCEOである林郁氏の長年の友情とサポートにも「ありがとう」と伝えたいと思います。

僕の学術面のアドバイザーであり、日本にインターネットを浸透させるために共に戦ってきた同志である慶應義塾大学の村井純教授に。黒川清氏の勇気と知性に。セーフキャストの仲間たちへの貢献と卓越に。すべてのMITの仲間たちの日々のインスピレーションに。日本のすばらしい会社である株式会社ソニーの社外取締役のひとりとして迎えてくれた平井一夫社長とソニーの皆さんに。デザイナーたちのリーダーとなり、大きなサポートとインスピレーションを与えてくれる林千晶氏に。すべての方々に感謝します。

そして、この本を出版するプロジェクトを進めてくれた、また私の人生のあらゆることを支えてくれる田中美歌さんにも、心から「ありがとう」と伝えたいと思います。

本書の刊行にあたっては、ＮＨＫ出版の久保田大海さん、フリーランス編集者兼ライターの髙杉公秀さんにご協力をいただきました。また、本をつくるきっかけをつくってくれたのは、長年の友人でもあるＮＨＫの倉又俊夫さんです。あらためて感謝を申し上げます。

最後になりましたが、人生のパートナーであり日本のことを知るきっかけをつくってくれる妻の瑞佳と、私たちがこれからつくろうとしている、私よりも現実感をもってこの未来をつくるだろう娘の輝生に、感謝を伝えたいと思います。ありがとう。

２０１８年２月

伊藤穰一

（肩書は当時のものです）

文庫版へのあとがき

今回、講談社文庫版として『教養としてのテクノロジー』を出せることに、とてもエキサイトしています。コロナ禍が落ち着き、たくさん人が海外に足を延ばすようになってきています。そんな旅先で、この文庫版を開いてくださることがあれば、とてもうれしいです。

この本の新書版が出版されてから5年超の歳月が経ちました。テクノロジーの世界にとって、5年というのはとても長い時間です。インターネット黎明期には、ドッグイヤー（犬にとっての1年＝7年ぐらいの早さという意味）とよく言われてましたが、5×7で35年ぐらい経ってしまう計算になります。それゆえに、新書版の事例は一部古くなってしまっているものもありますが、伝えたいテーマや趣旨は古びてはいないと思います。

文庫版では、原則として本文は残し、各章の後ろに、2023年の現時点でのアップデートを簡潔にまとめました。また、第5章は、教育をテーマにしていますが、自身の経験も含めてこの章は全面的に書き換えました。書き換えを快諾してくれた新書版の共著者のアンドレー・ウール氏に感謝します。

僕たちはテクノロジーともっと自由に向き合って、社会変革につながるムーブメントを起こしていかなければならない。そのためには、息の長いプロセスが不可欠であり、より多くの人々の賛同が必要です。本書を読み新たなムーブメントに興味を持った方は、ぜひ、僕が主宰している「変革コミュニティ」に参加していただければ一緒にムーブヴメントを起こせると思います。

最後になりますが、文庫版の出版を決断され、編集を担当していただいた講談社の岡本浩睦さん、ありがとうございました。また、新書版に引き続き、文庫版でもお世話になった編集者兼ライターの髙杉公秀さん、いつも助言をいただく友人の倉又俊夫さん、ありがとうございます。ｗｅｂ３リサーチャーのコムギさんにも、お礼を申し上げます。そして、いつもインスピレーションをくれる妻の瑞佳と娘の輝生にも感謝したい。ありがとう。

2023年9月

伊藤穰一

本書は二〇一八年三月、ＮＨＫ出版新書として刊行されました。
文庫化にあたり改題し、一部を加筆修正いたしました。

|著者| 伊藤穰一　ベンチャーキャピタリスト、起業家、作家、学者。米マサチューセッツ工科大学（MIT）メディアラボ所長、ソニー、ニューヨーク・タイムズ取締役などを歴任。株式会社デジタルガレージ取締役。デジタル庁Web3.0研究会構成員。2023年7月より千葉工業大学学長。主な著書に『テクノロジーが予測する未来』（SB新書）、『AI DRIVEN』（SBクリエイティブ）、ジェフ・ハウとの共著『9プリンシプルズ――加速する未来で勝ち残るために』（早川書房）など多数。

〈増補版《ぞうほばん》〉教養《きょうよう》としてのテクノロジー
AI、仮想通貨《かそうつうか》、ブロックチェーン
伊藤穰一《いとうじょういち》

講談社文庫
定価はカバーに
表示してあります

2023年10月13日第1刷発行

発行者――髙橋明男
発行所――株式会社　講談社
東京都文京区音羽2-12-21　〒112-8001
電話　出版（03）5395-3510
　　　販売（03）5395-5817
　　　業務（03）5395-3615

KODANSHA

デザイン―菊地信義
本文データ制作―講談社デジタル製作
印刷―――株式会社KPSプロダクツ
製本―――株式会社国宝社

Printed in Japan

ISBN978-4-06-533517-8

講談社文庫刊行の辞

二十一世紀の到来を目睫に望みながら、われわれはいま、人類史上かつて例を見ない巨大な転換期をむかえようとしている。

世界も、日本も、激動の予兆に対する期待とおののきを内に蔵して、未知の時代に歩み入ろうとしている。このときにあたり、創業の人野間清治の「ナショナル・エデュケイター」への志を現代に甦らせようと意図して、われわれはここに古今の文芸作品はいうまでもなく、ひろく人文・社会・自然の諸科学から東西の名著を網羅する、新しい綜合文庫の発刊を決意した。

激動の転換期はまた断絶の時代である。われわれは戦後二十五年間の出版文化のありかたへの深い反省をこめて、この断絶の時代にあえて人間的な持続を求めようとする。いたずらに浮薄な商業主義のあだ花を追い求めることなく、長期にわたって良書に生命をあたえようとつとめるところにしか、今後の出版文化の真の繁栄はあり得ないと信じるからである。

同時にわれわれはこの綜合文庫の刊行を通じて、人文・社会・自然の諸科学が、結局人間の学にほかならないことを立証しようと願っている。かつて知識とは、「汝自身を知る」ことにつきていた。現代社会の瑣末な情報の氾濫のなかから、力強い知識の源泉を掘り起し、技術文明のただなかに、生きた人間の姿を復活させること。それこそわれわれの切なる希求である。

われわれは権威に盲従せず、俗流に媚びることなく、渾然一体となって日本の「草の根」をかたちづくる若く新しい世代の人々に、心をこめてこの新しい綜合文庫をおくり届けたい。それは知識の泉であるとともに感受性のふるさとであり、もっとも有機的に組織され、社会に開かれた万人のための大学をめざしている。大方の支援と協力を衷心より切望してやまない。

一九七一年七月

野間省一

講談社文芸文庫

京須偕充
圓生の録音室
昭和の名人、六代目三遊亭圓生の至芸を集大成したレコードを制作した若き日の著者が、最初の訪問から永訣までの濃密な日々のなかで受け止めたものとはなにか。

解説=赤川次郎・柳家喬太郎

きL1

978-4-06-533350-4

伊藤痴遊
続 隠れたる事実 明治裏面史
維新の三傑の死から自由民権運動の盛衰、日清・日露の栄光の勝利を説く稀代の講釈師は過激事件の顛末や多くの疑獄も見逃さない。戦前の人びとを魅了した名調子！

解説=奈良岡聰智

いZ2

978-4-06-532684-8

芥川龍之介　藪の中
有吉佐和子　新装版 和宮様御留
阿刀田　高　ナポレオン狂
阿刀田　高　新装版 ブラック・ジョーク大全
安房直子　春の窓〈安房直子ファンタジー〉
相沢忠洋　「岩宿」の発見〈幻の旧石器を求めて〉
赤川次郎　偶像崇拝殺人事件
赤川次郎　人間消失殺人事件
赤川次郎　三姉妹探偵団
赤川次郎　三姉妹探偵団2〈キャンパス篇〉
赤川次郎　三姉妹探偵団3〈珠美・初恋篇〉
赤川次郎　三姉妹探偵団4〈怪奇篇〉
赤川次郎　三姉妹探偵団5〈復讐篇〉
赤川次郎　三姉妹探偵団6〈危機一髪篇〉
赤川次郎　三姉妹探偵団7〈駈け落ち篇〉
赤川次郎　三姉妹探偵団8〈人質篇〉
赤川次郎　三姉妹探偵団9〈青ひげ篇〉
赤川次郎　三姉妹探偵団10〈父恋し篇〉
赤川次郎　死が小径をやってくる〈三姉妹探偵団11〉

赤川次郎　死神のお気に入り〈三姉妹探偵団12〉
赤川次郎　次女と野獣〈三姉妹探偵団13〉
赤川次郎　心地よい悪夢〈三姉妹探偵団14〉
赤川次郎　ふるえて眠れ、三姉妹〈三姉妹探偵団15〉
赤川次郎　三姉妹、呪いの道行〈三姉妹探偵団16〉
赤川次郎　三姉妹、初めてのおつかい〈三姉妹探偵団17〉
赤川次郎　恋の花咲く三姉妹〈三姉妹探偵団18〉
赤川次郎　月もおぼろに三姉妹〈三姉妹探偵団19〉
赤川次郎　三姉妹、ふしぎな旅日記〈三姉妹探偵団20〉
赤川次郎　三姉妹、清く貧しく美しく〈三姉妹探偵団21〉
赤川次郎　三姉妹と忘れじの面影〈三姉妹探偵団22〉
赤川次郎　三姉妹、舞踏会への招待〈三姉妹探偵団23〉
赤川次郎　三人姉妹殺人事件〈三姉妹探偵団24〉
赤川次郎　三姉妹、さびしい入江の歌〈三姉妹探偵団25〉
赤川次郎　三姉妹、恋と罪の峡谷〈三姉妹探偵団26〉
赤川次郎　静かな町の夕暮に
赤川次郎　キネマの天使〈レンズの奥の殺人者〉
新井素子　グリーン・レクイエム〈新装版〉
安能　務 訳　封神演義 全三冊

安西水丸　東京美女散歩
綾辻行人　殺人方程式〈切断された死体の問題〉
綾辻行人　鳴風荘事件 殺人方程式Ⅱ
綾辻行人　十角館の殺人〈新装改訂版〉
綾辻行人　水車館の殺人〈新装改訂版〉
綾辻行人　迷路館の殺人〈新装改訂版〉
綾辻行人　人形館の殺人〈新装改訂版〉
綾辻行人　時計館の殺人〈新装改訂版〉
綾辻行人　黒猫館の殺人〈新装改訂版〉
綾辻行人　暗黒館の殺人 全四冊
綾辻行人　びっくり館の殺人
綾辻行人　奇面館の殺人(上)(下)
綾辻行人　どんどん橋、落ちた〈新装改訂版〉
綾辻行人　緋色の囁き〈新装改訂版〉
綾辻行人　暗闇の囁き〈新装改訂版〉
綾辻行人　黄昏の囁き〈新装改訂版〉
綾辻行人　人間じゃない〈完全版〉
綾辻行人ほか　7人の名探偵
我孫子武丸　探偵映画

我孫子武丸 新装版 8の殺人
我孫子武丸 眠り姫とバンパイア
我孫子武丸 狼と兎のゲーム
我孫子武丸 新装版 殺戮にいたる病
我孫子武丸 修羅の家
有栖川有栖 ロシア紅茶の謎
有栖川有栖 スウェーデン館の謎
有栖川有栖 ブラジル蝶の謎
有栖川有栖 英国庭園の謎
有栖川有栖 ペルシャ猫の謎
有栖川有栖 幻想運河
有栖川有栖 マレー鉄道の謎
有栖川有栖 スイス時計の謎
有栖川有栖 モロッコ水晶の謎
有栖川有栖 インド倶楽部の謎
有栖川有栖 カナダ金貨の謎
有栖川有栖 新装版 マジックミラー
有栖川有栖 新装版 46番目の密室
有栖川有栖 虹果て村の秘密
有栖川有栖 闇の喇《らっ》叭《ぱ》
有栖川有栖 真夜中の探偵
有栖川有栖 論理爆弾
有栖川有栖 名探偵傑作短篇集 火村英生篇
浅田次郎 勇気凜凜ルリの色
浅田次郎 霞町物語
浅田次郎 ひとは情熱がなければ生きていけない〈勇気凜凜ルリの色〉
浅田次郎 シェエラザード(上)(下)
浅田次郎 歩兵の本領
浅田次郎 蒼穹の昴 全四巻
浅田次郎 珍妃の井戸
浅田次郎 中原の虹 全四巻
浅田次郎 マンチュリアン・リポート
浅田次郎 天《てん》子《し》蒙《もう》塵《じん》 全四巻
浅田次郎 天国までの百マイル
浅田次郎 地《メ》下《ト》鉄《ロ》に乗って〈新装版〉
浅田次郎 おもかげ
浅田次郎 日輪の遺産〈新装版〉
青木玉 小石川の家
天樹征丸 画・さとうふみや 金田一少年の事件簿 小説版〈オペラ座館・新たなる殺人〉
天樹征丸 画・さとうふみや 金田一少年の事件簿 小説版〈雷《いかずち》 祭《まつり》殺人事件〉
阿部和重 アメリカの夜
阿部和重 グランド・フィナーレ
阿部和重 A B C〈阿部和重初期作品集〉
阿部和重 ミステリアスセッティング
阿部和重 IP/NN 阿部和重傑作集
阿部和重 シンセミア(上)(下)
阿部和重 ピストルズ(上)(下)
阿部和重 アメリカの夜 インディヴィジュアル・プロジェクション〈阿部和重初期代表作Ⅰ〉
阿部和重 無情の世界 ニッポニアニッポン〈阿部和重初期代表作Ⅱ〉
甘糟りり子 産む、産まない、産めない
甘糟りり子 産まなくても、産めなくても
赤井三尋 翳《かげ》りゆく夏
あさのあつこ NO.6〔ナンバーシックス〕#1
あさのあつこ NO.6〔ナンバーシックス〕#2
あさのあつこ NO.6〔ナンバーシックス〕#3
あさのあつこ NO.6〔ナンバーシックス〕#4
あさのあつこ NO.6〔ナンバーシックス〕#5

あさのあつこ NO.6〔ナンバーシックス〕#6
あさのあつこ NO.6〔ナンバーシックス〕#7
あさのあつこ NO.6〔ナンバーシックス〕#8
あさのあつこ NO.6〔ナンバーシックス〕#9
あさのあつこ NO.6 beyond〔ナンバーシックス・ビヨンド〕
あさのあつこ 待ってる〈橘屋草子〉
あさのあつこ さいとう市立さいとう高校野球部(上)(下)
あさのあつこ 甲子園でエースしちゃいました〈さいとう市立さいとう高校野球部〉
あさのあつこ おれが先輩?〈さいとう市立さいとう高校野球部〉
阿部夏丸 泣けない魚たち
朝倉かすみ 肝、焼ける
朝倉かすみ 好かれようとしない
朝倉かすみ ともしびマーケット
朝倉かすみ 感応連鎖
朝倉かすみ たそがれどきに見つけたもの
朝比奈あすか 憂鬱なハスビーン
朝比奈あすか あの子が欲しい
天野作市 気高き昼寝
天野作市 みんなの旅行
青柳碧人 浜村渚の計算ノート
青柳碧人 浜村渚の計算ノート 2さつめ〈ふしぎの国の期末テスト〉
青柳碧人 浜村渚の計算ノート 3さつめ〈水色コンパスと恋する幾何学〉
青柳碧人 浜村渚の計算ノート 3と1/2さつめ〈ふえるま島の最終定理〉
青柳碧人 浜村渚の計算ノート 4さつめ〈方程式は歌声に乗って〉
青柳碧人 浜村渚の計算ノート 5さつめ〈鳴くよウグイス、平面上〉
青柳碧人 浜村渚の計算ノート 6さつめ〈パピルスよ、永遠に〉
青柳碧人 浜村渚の計算ノート 7さつめ〈悪魔とポタージュスープ〉
青柳碧人 浜村渚の計算ノート 8さつめ〈虚数じかけの夏みかん〉
青柳碧人 浜村渚の計算ノート 8と2分の1さつめ〈つるかめ家の一族〉
青柳碧人 浜村渚の計算ノート 9さつめ〈恋人たちの必勝法《マーチンゲール》〉
青柳碧人 浜村渚の計算ノート 10さつめ〈ラ・ラ・ラ・ラマヌジャン〉
青柳碧人 霊視刑事夕雨子《ゆうご》1〈誰かがそこにいる〉
青柳碧人 霊視刑事夕雨子2〈雨空の鎮魂歌《レクイエム》〉
朝井まかて 花《はな》競《くら》べ〈向嶋なずな屋繁盛記〉
朝井まかて ちゃんちゃら
朝井まかて すかたん
朝井まかて ぬけまいる
朝井まかて 恋歌
朝井まかて 阿《お》蘭《らん》陀《だ》西《さい》鶴《かく》
朝井まかて 藪医《やぶい》ふらここ堂
朝井まかて 福袋
朝井まかて 草々不一
歩《あゆみ》りえこ ブラを捨て旅に出よう〈貧乏乙女の"世界一周"旅行記〉
安藤祐介 営業零課《ぜろか》接待班
安藤祐介 被取締役《とりしまられやく》新入社員
安藤祐介 おい!山田〈大翔製菓広報宣伝部〉
安藤祐介 宝くじが当たったら
安藤祐介 一〇〇〇ヘクトパスカル
安藤祐介 テノヒラ幕府株式会社
安藤祐介 本のエンドロール
青木理 絞首刑
麻見和史 石の繭〈警視庁殺人分析班〉
麻見和史 蟻《あり》の階段〈警視庁殺人分析班〉
麻見和史 水晶の鼓動〈警視庁殺人分析班〉
麻見和史 虚空の糸〈警視庁殺人分析班〉
麻見和史 聖者の凶数〈警視庁殺人分析班〉
麻見和史 女神の骨格〈警視庁殺人分析班〉

講談社文庫　目録

麻見和史　蝶の力学〈警視庁殺人分析班〉
麻見和史　雨色の仔羊〈警視庁殺人分析班〉
麻見和史　奈落の偶像〈警視庁殺人分析班〉
麻見和史　鷹《たか》の砦《とりで》〈警視庁殺人分析班〉
麻見和史　凪《なぎ》の残響〈警視庁殺人分析班〉
麻見和史　天空の鏡〈警視庁殺人分析班〉
麻見和史　深紅の断片〈警防課救命チーム〉
麻見和史　邪神の天秤〈警視庁公安分析班〉
麻見和史　偽神の審判〈警視庁公安分析班〉
有川　浩　三匹のおっさん
有川　浩　三匹のおっさん ふたたび
有川　浩　ヒア・カムズ・ザ・サン
有川　浩　旅猫リポート
有川ひろ　アンマーとぼくら
有川ひろ ほか　ニャンニャンにゃんそろじー
荒崎一海　門前仲町〈九頭竜覚山 浮世綴㈠〉
荒崎一海　蓬萊橋雨景〈九頭竜覚山 浮世綴㈡〉
荒崎一海　寺町哀感〈九頭竜覚山 浮世綴㈢〉
荒崎一海　小《お》名《な》木《き》川《がわ》〈九頭竜覚山 浮世綴㈣〉
荒崎一海　一色町雪花〈九頭竜覚山 浮世綴㈤〉
朱野帰《かえる》子《こ》　駅物語
朱野帰子　対岸の家事
東　浩紀　一般意志2・0〈ルソー、フロイト、グーグル〉
朝倉宏景　白球アフロ
朝倉宏景　野球部ひとり
朝倉宏景　つよく結べ、ポニーテール
朝倉宏景　あめつちのうた
朝倉宏景　エール〈夕暮れサウスポー〉
朝井リョウ　スペードの3
朝井リョウ　世にも奇妙な君物語
有沢ゆう希／末次由紀 原作　ちはやふる 上の句〈小説〉
有沢ゆう希／末次由紀 原作　ちはやふる 下の句〈小説〉
有沢ゆう希／末次由紀 原作　ちはやふる 結び〈小説〉
有沢ゆう希　小説 パーフェクトワールド〈君といる奇跡〉
有沢ゆう希／原作：金田一蓮十郎／脚本：徳永友一　小説 ライアー×ライアー
秋川滝美　幸《こう》腹《ふく》な百貨店
秋川滝美　幸腹な百貨店〈デパ地下おにぎり騒動〉
秋川滝美　幸腹な百貨店〈催事場で蕎麦屋呑み〉
秋川滝美　マチのお気楽料理教室
秋川滝美　ヒソップ亭〈湯けむり食事処〉
秋川滝美　ヒソップ亭2〈湯けむり食事処〉
赤神　諒　神遊の城
赤神　諒　大友二階崩れ
赤神　諒　大友落月記
赤神　諒　酔象の流儀　朝倉盛衰記
赤神　諒　空《うつせ》貝《がい》〈村上水軍の神姫《しんき》〉
赤神　諒　立花三将伝
彩瀬まる　やがて海へと届く
浅生　鴨　伴走者
天野純希　有楽斎の戦
天野純希　雑《さい》賀《か》のいくさ姫《ひめ》
青木祐子　コーチ！〈はげまし屋・立花ことりのクライアントファイル〉
秋《あき》保《う》水《すい》菓《か》　コンビニなしでは生きられない
相沢沙呼　medium《メディウム》 霊媒探偵城塚翡翠《じょうづかひすい》
新井見枝香　本屋の新井
碧野　圭　凛として弓を引く
碧野　圭　凛として弓を引く〈青雲篇〉

講談社文庫 目録

赤松利市 東京棄民
五木寛之 ソフィアの秋
五木寛之 狼のブルース
五木寛之 海峡物語
五木寛之 風花のひと
五木寛之 鳥の歌(上)(下)
五木寛之 燃える秋
五木寛之 真夜中の望遠鏡〈流されゆく日々'78〉
五木寛之 ナホトカ青春航路〈流されゆく日々'79〉
五木寛之 旅の幻燈
五木寛之 他力
五木寛之 こころの天気図
五木寛之 新装版 恋歌
五木寛之 百寺巡礼 第一巻 奈良
五木寛之 百寺巡礼 第二巻 北陸
五木寛之 百寺巡礼 第三巻 京都Ⅰ
五木寛之 百寺巡礼 第四巻 滋賀・東海
五木寛之 百寺巡礼 第五巻 関東・信州
五木寛之 百寺巡礼 第六巻 関西
五木寛之 百寺巡礼 第七巻 東北
五木寛之 百寺巡礼 第八巻 山陰・山陽
五木寛之 百寺巡礼 第九巻 京都Ⅱ
五木寛之 百寺巡礼 第十巻 四国・九州
五木寛之 海外版 百寺巡礼 インド1
五木寛之 海外版 百寺巡礼 インド2
五木寛之 海外版 百寺巡礼 朝鮮半島
五木寛之 海外版 百寺巡礼 中国
五木寛之 海外版 百寺巡礼 ブータン
五木寛之 海外版 百寺巡礼 日本・アメリカ
五木寛之 青春の門 第七部 挑戦篇
五木寛之 青春の門 第八部 風雲篇
五木寛之 青春の門 第九部 漂流篇
五木寛之 親鸞 青春篇(上)(下)
五木寛之 親鸞 激動篇(上)(下)
五木寛之 親鸞 完結篇(上)(下)
五木寛之 五木寛之の金沢さんぽ
五木寛之 海を見ていたジョニー 新装版
井上ひさし モッキンポット師の後始末
井上ひさし ナイン
井上ひさし 四千万歩の男 全五冊
井上ひさし 四千万歩の男 忠敬の生き方
井上ひさし・司馬遼太郎 新装版 国家・宗教・日本人
池波正太郎 私の歳月
池波正太郎 よい匂いのする一夜
池波正太郎 梅安料理ごよみ
池波正太郎 わが家の夕めし
池波正太郎 新装版 緑のオリンピア
池波正太郎 新装版 殺しの四人〈仕掛人・藤枝梅安㊀〉
池波正太郎 新装版 梅安蟻地獄〈仕掛人・藤枝梅安㊁〉
池波正太郎 新装版 梅安最合傘〈仕掛人・藤枝梅安㊂〉
池波正太郎 新装版 梅安針供養〈仕掛人・藤枝梅安㊃〉
池波正太郎 新装版 梅安乱れ雲〈仕掛人・藤枝梅安㊄〉
池波正太郎 新装版 梅安影法師〈仕掛人・藤枝梅安㊅〉
池波正太郎 新装版 梅安冬時雨〈仕掛人・藤枝梅安㊆〉
池波正太郎 新装版 忍びの女(上)(下)
池波正太郎 新装版 殺しの掟
池波正太郎 新装版 抜討ち半九郎

2023年9月15日現在